D0892144

Le grand mensonge de l'éducation

Luc Germain Luc Papineau Benoit Séguin

Le grand mensonge de l'éducation

Du primaire au collégial :
les ratés de l'enseignement du français au Québec

LANCTÔT
ÉDITEUR

LANCTÔT ÉDITEUR
4703, rue Saint-Denis
Montréal, Québec H2J 2L5
Téléphone : 514-680-8905
Télécopieur : 514-680-8906
Adresse électronique : info@lanctot-editeur.com
Site Internet : www.lanctot-editeur.com

Mise en pages et conception de la couverture : Jimmy Gagné
Photo de la couverture : Karine Patry
Distribution : Prologue
1650, boul. Lionel-Bertrand
Boisbriand, Québec
J7H 1N7
Téléphone : 450-434-0306 / 1-800 363-3864
Télécopieur : 450-434-2627 / 1-800 361-8088

Distribution en Europe : Librairie du Québec
30, rue Gay-Lussac
75005 Paris, France
Télécopieur : 01 43 54 39 15
Adresse électronique : liquebec@noos.fr

Lanctôt éditeur bénéficie du soutien financier
de la SODEC, du Programme de crédits d'impôt du
gouvernement du Québec et est inscrit au Programme
de subvention globale du Conseil des Arts du Canada.
Nous reconnaissons l'aide financière du gouvernement du Canada par l'entremise
du Programme d'aide au développement de l'industrie de l'édition (PADIÉ)
pour nos activités d'édition.

Dépôt légal — 2006
Bibliothèque et Archives nationales du Québec
Bibliothèque nationale du Canada
ISBN (10) 2-89485-361-0 (13) 978-2-89485-361-0

À nos élèves d'hier, d'aujourd'hui, de demain.
Et à la mémoire du frère Untel, Jean-Paul Desbiens,
en guise de reconnaissance.

« Nous ne pouvons pas accepter que des élèves maîtrisent mal leur langue maternelle à la fin du secondaire[1]. »

Jean-Marc Fournier
Ministre de l'Éducation, du Loisir et du Sport

---

1 *Allocution de M. Jean-Marc Fournier*, http://www.MELS.gouv.qc.ca/MINISTRE/minis2006/A060502.asp, page consultée le 20 juin 2006.

Introduction

Que s'est-il passé ? Qu'a-t-on fait de l'efficacité ? Pourquoi le professeur n'est-il plus un maître mais un simple exécutant ? Par quel tour de force les technocrates continuent-ils d'imposer en éducation la culture de la médiocrité malgré les constats d'échec répétés ?

Que dire de l'incroyable docilité des profs eux-mêmes ? Et de l'inconcevable indifférence d'une majorité de parents ? Bref, comment expliquer la déroute du français dans nos écoles ?

Nous sommes inquiets. Très inquiets. C'est pour cela que nous avons décidé de mettre en commun nos perceptions des ratés de l'enseignement du français au Québec. Du primaire au collégial. Trois enseignants, trois niveaux, trois visions, trois histoires, un même constat.

Chaque fois que nous abordons le sujet de la qualité du français des jeunes d'aujourd'hui, nos interlocuteurs comparent des données incomparables. Pour notre part, nous ne voulons pas savoir si les jeunes écrivent mieux qu'avant. Nous nous demandons plutôt : actuellement, maintenant, présentement, les finissants du secondaire et du collégial écrivent-ils bien ? Maîtrisent-ils leur langue ? Et la réponse est non.

Au Québec, l'éducation ne vit plus au rythme des écoles de rang et d'Émilie Bordeleau. On parle d'un budget de plus de 13 milliards par année[2]. Pourtant, peu importe l'argent qu'on investit, la qualité du français des finissants ne semble pas s'améliorer. S'il fut un temps où certains médecins dénonçaient la médecine de guerre pratiquée dans les hôpitaux québécois, comment qualifier la situation de l'enseignement du français ?

Cette dernière, quant à nous, est en lien direct avec notre réalité sociale et politique. En effet, dans notre imaginaire collectif, depuis des années, la Belle Province n'est plus un coin

[2] « 13 milliards ! », *Le Journal de Montréal*, vendredi 24 mars 2006, page 9.

d'Amérique où la langue française est chérie et protégée, mais bien une chaîne de restauration rapide où l'on s'empoisonne à chaque bouchée. Au diable la langue et la culture! Tant qu'on peut s'empiffrer grassement et se la couler douce, notre vie débilitante de consommateur est si agréable.

Si Paul Arcand a signé un documentaire-choc portant sur le sort qu'on réserve parfois à notre jeunesse avec les *Voleurs d'enfance*, il existe dans notre réseau de l'éducation des individus et des décideurs qui abusent de la confiance des jeunes et qui méprisent leur intelligence. Sinon, comment expliquer autrement qu'on décerne aux élèves des diplômes d'études secondaires ou collégiales alors qu'ils peinent à écrire une phrase sans fautes? Si l'on a déjà dit du Québec qu'il était « fou de ses enfants », on devrait plutôt se demander maintenant « s'il se fout de ses enfants ».

Au-delà des grandes envolées politiques rassurantes, des grandes envolées patriotiques, les Québécois sont de véritables tartuffes et la langue française est l'objet d'un discours hypocrite dans la patrie des Leclerc et des Vigneault. On est fiers d'être francophones en Amérique, on se dit Québécois, mais on écrit souvent « Québecquois » sans réaliser qu'on malmène et qu'on enseigne de façon parfois médiocre ce qui nous assure un caractère unique, distinct : notre langue. N'est-ce pas le premier ministre Jean Charest qui, dans un discours à l'Assemblée nationale, affirmait vouloir poursuivre ses efforts « pour améliorer la qualité de notre langue commune, le français » alors qu'il remettait aux journalistes un texte comptant une douzaine de fautes majeures[3]...

Nul besoin de savantes analyses pour comprendre qu'un rapport conflictuel avec notre langue paralyse ce que nous appelons communément notre quête identitaire. Au point où, chaque fois qu'il est question de critiquer l'enseignement du français au Québec, on se fait rappeler à l'ordre par les bien-pensants de la *médiocratie* québécoise.

Nous sommes écœurés de cette attitude.

Brisons l'omerta.

[3] « Un discours bourré de fautes », *La Presse*, mercredi 15 mars 2006, page A6.

Dans ce pamphlet, nous n'entendons faire œuvre ni d'historiens ni de sociologues. Nous ferons plutôt le procès de l'enseignement du français par la lorgnette de notre expérience personnelle et des faits rendus publics sur ce sujet si polémique au royaume de la *Loi 101*.

Le témoignage de ceux qui sont au front et qui, malgré tout, aiment leur combat quotidien vaut certainement toutes les chroniques et les savantes analyses des observateurs extérieurs.

Bienvenue dans nos tranchées.

LE PRIMAIRE

Luc Germain

Le français au primaire en bref...

- Le français est enseigné chaque année du primaire.
- Le cours de français se divise en trois volets : écriture, lecture et oral.
- Les élèves de la première et de la deuxième année du primaire, soit le premier cycle, reçoivent neuf heures d'enseignement de français par semaine, pour un total de 648 heures après deux ans.
- Les élèves de la troisième à la sixième année du primaire, soit le deuxième et le troisième cycle, reçoivent 7 heures d'enseignement de français par semaine, pour un total de 1008 heures après 4 ans.
- En quittant l'école primaire, l'élève devrait avoir suivi 1656 heures ou plus de cours de français.
- Pour tous les niveaux, ce sont les enseignants qui évaluent la réussite de leurs élèves.
- Exception faite des élèves de sixième année, il n'y a aucune évaluation prescrite par le MELS (le ministère de l'Éducation, du Loisir et du Sport – autrefois appelé le MEQ, le ministère de l'Éducation du Québec).
- En sixième année, les examens de fin d'année du MELS sont corrigés par les enseignants.
- La réussite de tous les volets en français n'est pas nécessairement obligatoire pour qu'un élève poursuive ses études au secondaire.
- Il n'y a pas de diplôme d'études primaires.

Je suis enseignant depuis maintenant 15 ans. J'adore mon métier. J'enseigne en sixième année du primaire depuis maintenant neuf ans. Auparavant, j'ai œuvré au secondaire en adaptation scolaire auprès d'élèves éprouvant des difficultés d'apprentissage. Malheureusement, j'ai quitté ce poste parce que je trouvais que les solutions proposées à nos adolescents en difficulté ne répondaient pas à leurs besoins. Pourtant, j'avais un réel plaisir à côtoyer ces grands ados qui, quoi qu'on en dise, ne cherchent que la compréhension, l'aide, l'écoute, autrement dit l'appui des adultes qui les entourent. J'ai fait le saut d'un enseignement à des élèves en difficulté au secondaire à un enseignement planifié pour une clientèle de classes régulières au primaire. Le contraste fut énorme.

Au primaire, j'avais jusqu'à tout récemment le sentiment de pouvoir répondre aux besoins et aspirations de mes élèves. Le contexte des classes régulières me convenait parfaitement. J'avais le sentiment profond, lorsque je quittais ma classe, du devoir accompli.

Malheureusement, J'AVAIS...

Ma réforme

Au cours de mes six premières années d'enseignement au primaire, j'ai pu mettre en place un projet de théâtre. Je proposais aux élèves des activités mobilisatrices, stimulantes et signifiantes. Je voulais impliquer l'élève au maximum en lui donnant la liberté de choisir selon ses intérêts et de s'exprimer selon ses goûts à l'intérieur de son projet pour qu'il puisse construire lui-même ses savoirs. Aussi, je souhaitais permettre à l'élève d'augmenter sa confiance, son estime de soi, d'accroître son goût pour l'effort, son sens de la coopération, bref lui permettre de ressentir du plaisir tout en apprenant. Et ainsi, je le croyais, favoriser sa mobilisation dans toutes les sphères de ses activités scolaires.

Je pensais sincèrement que toutes ces conditions étaient essentielles pour qu'il y ait un véritable apprentissage. Le projet de théâtre, vécu quotidiennement dans ma classe, plaçait l'élève au cœur de l'action. C'était son projet. Chacun était mis à contribution : l'élève écrivait la pièce, la jouait, la mettait en scène, critiquait ses pairs, était applaudi par ses proches, parents et amis. Également, il savait qu'il devait se faire confiance et faire confiance aux autres pour que son projet soit un succès. Il apprenait que tout projet devait se faire à l'intérieur d'un certain encadrement et de certaines règles. Depuis six ans, ce projet avait un franc succès et tout le monde en sortait grandi. Il était clair pour moi que le projet de théâtre réunissait la plupart des facteurs déterminants de la motivation de l'élève.

De plus, la majorité des activités d'enseignement effectuées en théâtre se faisaient en intégrant le français.

En fait, le français était partie prenante du projet de théâtre, l'un n'allant pas sans l'autre. Vous aurez compris que ce projet cadrait tout à fait avec les valeurs prônées par la réforme au primaire dont j'étais, jusqu'à tout récemment, un ardent défenseur. Vive le renouveau pédagogique! Vive le théâtre! Pour moi, ces deux concepts étaient très étroitement liés.

Mais que de rêves brisés!

La vraie réforme arrive

L'école primaire québécoise connaît un changement majeur depuis sept ans. Celui-ci touche l'ensemble des matières enseignées ainsi que la façon d'évaluer un élève. Appelée tout d'abord *La réforme des réformes*, elle est devenue au fil du temps *Le renouveau pédagogique*. Si la nouvelle appellation de cette dernière est plus charismatique, les bases sur lesquelles elle repose sont les mêmes.

Sans vouloir expliquer tout ce nouveau système, on se souviendra que celui-ci fait suite aux états généraux de l'Éducation tenus en 1995 et 1996. Les conclusions de ces derniers suggéraient de recentrer l'enseignement sur les matières de base (français, mathématiques, histoire, etc.) afin de contrer le décrochage scolaire. Alors qu'à cette époque, 65,8 % des jeunes Québécois obtenaient leur diplôme d'études secondaires avant l'âge de 20 ans, on a tout à coup déterminé pour principal objectif que ce taux devrait atteindre 85 % en 2010.

Lorsqu'on analyse cette réforme, on constate qu'elle s'inspire des grandes théories du socioconstructivisme où l'éducation est centrée sur l'élève et non sur les connaissances. Maintenant, ces dernières doivent être découvertes par l'élève, préférablement à travers un projet ou une situation d'apprentissage qui l'intéresse et le mobilise. Plus question du maître qui transmet de façon directe les connaissances aux enfants. La réussite n'y est pas vue comme une accumulation de bons résultats sur un bulletin, mais comme la capacité qu'a l'élève de développer des compétences précises. En plus de la pédagogie par projet, on favorise également les liens entre les matières enseignées. D'ailleurs, à l'intérieur de cette nouvelle philosophie, le maître n'en est plus un. Il devient tout simplement un facilitateur, un aide, un accompagnateur, un gentil chef scout qui guide l'élève vers, on l'espère, la construction de ses savoirs qui seraient, de par leur nature, intransmissibles. Aussi doit-il réussir à organiser, à structurer, à planifier et à évaluer ce type de situations d'apprentissage, ce qui n'est pas une mince affaire. Mais il n'a plus tellement le choix car, s'il enseigne de façon traditionnelle par méthode d'instruction directe, il y perdrait en efficacité... dit-on.

En clair, l'enfant et ses intérêts sont au cœur de cette philosophie socioconstructiviste. Jusqu'à tout récemment, j'adhérais volontiers à cette philosophie de l'enseignement. Par contre, au cours des deux dernières années, qui furent celles de l'implantation officielle de la réforme au troisième cycle du primaire, il est devenu très clair pour moi que, si le ministère de l'Éducation poursuit cette réforme telle que nous la vivons aujourd'hui, celle-ci ne pourra tout simplement pas tenir ses promesses, notamment à cause des bases mêmes sur lesquelles elle repose, mais surtout à cause des modalités d'évaluation qu'elle préconise.

Au cours des deux dernières années, j'ai intégré deux des aspects de cette réforme : l'abolition des pourcentages en faveur d'un bulletin descriptif et l'intégration des élèves en difficulté qui, très souvent, ne sont même pas diagnostiqués comme tels.

Durant mes premières années comme enseignant au primaire, bien avant l'implantation officielle de la réforme, j'étais emballé et j'éprouvais vraiment beaucoup de plaisir et de satisfaction à monter toutes sortes de projets où l'élève pouvait construire ses savoirs. Mes élèves réussissaient et tout le monde passait au secondaire avec assurance. Je croyais que ces succès étaient rendus possibles grâce à mes nombreux projets faits en classe, particulièrement celui de théâtre. Cependant, la situation s'est détériorée et il est devenu très difficile de les répéter tels que je les avais vécus auparavant. Lors des deux dernières années, certains élèves n'ont pas réussi leur sixième année. Et plusieurs quittent le primaire pour le secondaire avec tout juste ce qu'il faut comme bagage scolaire – et encore.

Nouvelle réalité

Il y a deux ans, avant de commencer mon année scolaire, mes collègues m'avaient pourtant prévenu : « Tu vas voir, Luc, c'est pas les élèves auxquels tu es habitué. Tu as plusieurs élèves qui n'ont pas passé leur cinquième année mais, comme ils ont maintenant deux ans pour faire leur cycle, on te les envoie. »

C'est que, maintenant, il n'y a plus de première, deuxième, troisième année et ainsi de suite jusqu'à la sixième. Non, c'était beaucoup trop difficile pour nos enfants. Dorénavant, on parle de cycles d'apprentissage : la première et la deuxième année forment le premier cycle, la troisième et la quatrième forment le deuxième cycle, la cinquième et la sixième forment le troisième cycle.

Comme enseignant, il faut attendre la fin d'un cycle pour indiquer aux parents si leurs enfants sont en situation d'échec ou de réussite. Pour ce faire, aucune notion d'échec ou de réussite n'apparaît sur les bulletins durant le cycle, l'élève étant en apprentissage : on le laisse *mûrir* pendant deux ans avant de porter un véritable jugement sur ses compétences. Ainsi, croit-on, l'enfant pourra avoir le temps nécessaire pour rattraper son retard.

Avant la réforme, les élèves de cinquième année qui ne réussissaient pas devaient reprendre leur année scolaire. Si, après un an, les enseignantes de cinquième année (après tout, je suis le seul enseignant masculin de mon école) les jugeaient encore trop faibles pour passer en sixième année, ce qui n'était pas rare, elles les orientaient tout simplement vers une classe spéciale. Le processus pour y référer un élève était assez simple. On n'avait qu'à signifier au directeur qu'un élève était en échec une deuxième fois et ce dernier était inscrit dans une classe où l'enseignement était mieux adapté à ses besoins spécifiques, voilà tout. Aussi simple que ça. Mais, avec la réforme, cette façon de procéder n'est plus possible. Je me retrouve donc avec une dizaine d'élèves (dans une classe de 29) éprouvant de grandes difficultés d'apprentissage. Une première depuis que je suis au primaire. Quand on sait comment un seul élève en difficulté peut influencer tout un groupe, il y a de quoi frémir !

Une réforme pour nos enfants en difficulté... Vraiment ! ?

Qu'à cela ne tienne, je commence mon année scolaire de la même façon que les précédentes. Ne m'a-t-on pas dit et répété, lors des perfectionnements obligatoires sur la réforme, que celle-ci était justement conçue pour nos élèves en difficulté ? Ne m'a-t-on pas répété que, grâce à un projet stimulant, motivant et mobilisateur, ces derniers construiraient leurs savoirs en français sans même s'en rendre compte... et du coup seraient assez motivés pour enfin réussir ?

Qui plus est, la grande majorité des élèves paraissaient très heureux de se retrouver dans LA CLASSE où l'on faisait du théâtre. Je les sentais impatients de commencer leur production théâtrale.

Alors, pourquoi m'en faire avec une dizaine d'élèves en difficulté ?

Je commence donc l'année comme d'habitude et, dès la troisième journée de classe, je demande à mes élèves de choisir un roman jeunesse pour le présenter au reste du groupe, dans le dessein, bien sûr, de l'adapter en pièce de théâtre pour notre spectacle de fin d'année. Beau projet, n'est-ce pas ? Très « réforme » aussi.

Une fois le livre lu, l'élève doit en faire un résumé, illustrer la scène du roman qui l'a le plus marqué et afficher le tout pour que ses confrères de classe puissent s'y référer au moment du vote. L'élève devra ensuite convaincre la classe, dans un exposé oral, que c'est son roman qui devrait être choisi pour la pièce de fin d'année. Lorsque j'explique le projet aux élèves, tout le monde est emballé et prêt à se mettre au travail. Je crois que je tiens là une démarche TRÈS motivante. Je crois aussi que mes élèves en difficulté vont effectivement être portés par cette vague d'enthousiasme et que leur réussite est pratiquement assurée par la réalisation de ce magnifique projet. Il ne peut en être autrement : n'ai-je pas vécu succès après succès avec ce concept? Et puis, pensai-je, la réforme, ça fait six ans que je l'applique! J'en suis même un précurseur! Je ne l'ai pas attendue avant d'utiliser de magnifiques et fabuleux projets.

Pourtant...

Dès la première étape du processus, certains élèves se rendent compte qu'en plus de choisir un roman, ô malheur! ils doivent le lire! Pour ceux qui lisent beaucoup, rien de plus facile. Mais pour certains plus faibles, c'est une première expérience ou presque. Plusieurs d'entre eux trouvent cette étape assez pénible et certains me demandent même s'ils sont obligés de le faire... et si ça comptera! Après leur avoir expliqué qu'il s'agit d'un travail de français obligatoire et que, oui, ça compte, ils se mettent à l'ouvrage sans trop d'enthousiasme. Bizarre. Les années précédentes, très rares sont ceux qui posaient ce genre de questions. Et puis, c'est curieux, lors des perfectionnements sur la réforme, on m'avait dit que l'élève en projet ne se rendait même pas compte qu'il était en train de faire du français!

À moins que ce que je leur propose ne les intéresse tout simplement pas?

À voir travailler les autres élèves avec enthousiasme et acharnement, je me dis que ce n'est pas le projet qui est le problème.

La réforme, c'est pour les « bolés »

Ça y est : tout le monde a choisi et lu, dans certains cas avec beaucoup de peine, son roman. Maintenant, il faut en faire un résumé, sans fautes évidemment, puisque le tout sera affiché sur les murs de la classe. Que de douleurs pour certains élèves! Résumer, sans fautes, le roman lu si péniblement!

Avant la réforme, les élèves qui entreprenaient leur sixième année savaient lire et écrire. Ils possédaient une base en français relativement solide. De plus, je sais très bien que ces élèves apprenaient leurs connaissances de base en français, de façon générale, par méthode d'enseignement directe à l'aide d'exercices de répétition. Personne ne leur demandait de construire leurs savoirs. Attention, je ne dis pas qu'ils écrivaient sans fautes et que tous avaient déjà lu plusieurs romans. Mais leur maîtrise du français permettait à ces élèves de poursuivre l'acquisition de leurs connaissances et de les consolider à travers mes projets. Auparavant, je pouvais leur demander de lire et de résumer un roman sans que cela ne suscite de résistance. Aujourd'hui, c'est une tout autre histoire. Ce résumé est censé être important pour eux parce qu'il permet à la classe de se faire une opinion du livre sur lequel elle devra ensuite voter. Encore une fois, mes élèves qui n'ont pas de difficulté sont emballés et veulent réellement bien faire. Pour ma dizaine d'élèves en difficulté, toutefois, c'est moins drôle. Je vous rappelle pourtant que tous étaient très motivés lorsque j'avais expliqué le projet au départ.

Je commence à réaliser que celui-ci fonctionne beaucoup moins bien que les années passées. Je suis confronté à des élèves ayant de graves problèmes en français. Et le projet ne les aide en rien. Ils trouvent la tâche à accomplir énorme et se découragent devant tant de complexité. Ils sont incapables de distinguer un verbe d'un nom et arrivent à peine à comprendre ce qu'ils lisent. Effectivement, dans ce cas, la tâche est vraiment trop complexe.

Mais par quelle magie ces élèves-là arrivent-ils dans ma classe de sixième année ?

Je n'en reviens pas ! Ces groupes commencent à ressembler dangereusement à ceux auxquels j'enseignais il y a sept ans au secondaire. Je reconnais le même type de comportement. Mais, surtout, inévitablement, le même genre de difficultés d'apprentissage, et ce, en pleine classe régulière.

Plus inquiétant encore, avec cette réforme, même les élèves ayant de grandes difficultés pourront, dans la très grande majorité des cas, terminer leur primaire en six ans et poursuivre cette fuite en avant au secondaire !

La magie est en fait une grosse machine qui ne veut absolument plus entendre parler d'enfants en difficulté et qui emploie tous les moyens pour diplômer un maximum d'élèves.

Nous sommes, mes amis, en pleine psychose de la soi-disant réussite.

La différentiation pédagogique : le nouveau remède

Cela dit, comment faire pour répondre adéquatement aux besoins d'une classe à ce point hétérogène ? La différenciation pédagogique, bien sûr !

Sans vouloir expliquer toute cette « nouvelle » approche, je dirais, pour ce que j'en comprends, qu'elle vise à permettre à tous les élèves d'atteindre des objectifs de valeur égale par des voies différentes. Différencier, c'est rechercher pour chaque élève la méthode d'apprentissage qui lui convient le mieux. Aussi, l'enseignant devra planifier, organiser des situations d'apprentissage multiples et utiliser différents outils pour des élèves de différentes forces. Autrement dit, je dois accepter mes 29 élèves en respectant leurs différences, leurs forces et leurs limites. Parfois, dans le cas d'élèves très faibles, je peux modifier mes situations d'apprentissage pour qu'elles correspondent à leur niveau. Si l'enfant a de la difficulté à lire une consigne, je dois la lui lire et, au besoin, la lui expliquer. Voilà ! L'élève sera guidé en fonction de ses capacités et s'épanouira.

Je dois m'ajuster au rythme de chacun. Mais quel rythme marquera la cadence de ma classe, de mon groupe ? Celui de l'élève faible ? ! Car, bien entendu, le reste de la classe sera littéralement paralysé pendant que ce dernier rattrapera ses retards et la terre cessera bien évidemment de tourner...

Au fait, combien y a-t-il de rythmes dans une classe ? La cacophonie générée par la réforme peut-elle être maîtrisée par le meilleur chef d'orchestre ? Les sons disparates s'accordent-ils pour rendre enfin quelque chose d'audible ?

Allez, tout le monde passe !

Le problème, c'est qu'avant l'application officielle de la réforme, j'avais, oui, des élèves en difficulté d'apprentissage comme ceux de cette année. Mais je n'en avais qu'un ou deux ! Le vrai problème a commencé quand notre cher ministère de l'Éducation a décidé que, dans le cadre du renouveau pédagogique, le redoublement d'une année scolaire devenait une mesure exceptionnelle.

C'est vrai qu'auparavant, les élèves redoublaient assez fréquemment, parfois de façon abusive. Par ailleurs, on s'est aperçu que ces derniers, une fois au secondaire, se retrouvaient souvent en grande difficulté et finissaient par décrocher. La solution ? C'est simple : puisque les difficultés reviennent de toute façon, on ne les fera plus redoubler. SUPER ! Parfois, les solutions aux problèmes les plus complexes sont si simples... Comment expliquer que personne n'y ait pensé avant ?

Au fond, ce n'est pas si complexe. Plus personne ne redouble. Ou presque. Tout le monde passe d'une année à l'autre. L'élève peut poursuivre son parcours au primaire et même au secondaire sans avoir à progresser réellement. Résultat ? Des classes de sixième année beaucoup trop hétérogènes et des élèves qui n'ont plus ce que j'appellerais une saine peur de redoubler.

Quelle vision naïve et romantique de l'éducation ! Si on n'exige presque plus rien de nos enfants, pour plusieurs, malheureusement, le message devient très clair : « Ah oui, on passe pareil, même pus besoin de se forcer, super-*cool* ! »

Super-cool, effectivement.

J'encourage, tu encourages, il encourage... Nous mentons !

Entre deux répétitions de théâtre, j'ai annoncé à certains de mes élèves : « Si vos résultats ne s'améliorent pas, vous ne pourrez peut-être pas poursuivre votre parcours, l'an prochain, au secondaire régulier. » Le silence. J'avais l'impression d'être un extraterrestre. Peut-être était-ce la première fois qu'ils se voyaient confrontés à leurs piètres rendements scolaires ? Résultat : craignant soudainement de se retrouver en cheminement particulier au secondaire, quelques-uns se sont mis à travailler. Magie.

Les éberlués de la réforme y verront peut-être une preuve de la grande efficacité des cycles d'apprentissage de deux ans... Mais pourquoi a-t-on attendu cinq longues années pour confronter ces élèves à leurs vraies difficultés ? Pourquoi ne leur a-t-on pas mentionné plus souvent que, s'ils ne faisaient pas l'effort nécessaire pour réussir, ils ne pourraient tout simplement pas continuer dans la voie régulière du primaire? On a préféré ne pas les alarmer, de peur de les démotiver? Alors, permettez que je pose une question toute simple : depuis quand le fait de placer un élève devant son manque d'effort et de l'éveiller aux conséquences qui en découlent peut nuire à sa confiance?

Au contraire : mon devoir d'enseignant est précisément de lui montrer que c'est par l'effort qu'il pourra avoir une véritable estime de lui-même.

Le système scolaire actuel déploie beaucoup d'énergie à masquer les difficultés des élèves par tous les moyens possibles. On doit regarder ce qui va bien et non ce qui va mal. « C'est très beau ton texte, wow! Tu possèdes une très belle imagination. Maintenant, s'il te plaît, si cela ne te dérange pas trop bien sûr, et ne va surtout pas croire que je ne te trouve pas bon, pourrais-tu corriger tes 250 fautes? » Prenons plutôt de front ces 250 fautes et encourageons l'élève à se corriger, à faire moins de fautes la prochaine fois.

Ce dernier devrait savoir que, s'il veut continuer à progresser, il devra faire des efforts considérables pour poursuivre son parcours. Si et seulement si les efforts sont déployés à acquérir ces nouveaux savoirs et à les transférer, applaudissons-le à tout rompre... mais pas avant. Je crois que la mission fondamentale de l'école est d'abord et avant tout d'encourager les apprentissages qui demandent un effort réel.

En d'autres mots, arrêtons de mentir à l'élève! Encourageons la vraie réussite, celle qui exige le dépassement, le don de soi! C'est cette réussite-là qu'il faut applaudir. Sinon, on forme des enfants qui se satisferont de peu et qui se heurteront tôt ou tard au monde sans pitié qu'est la vraie vie. Est-il honnête de leur faire croire que la connaissance, la culture et la langue s'acquièrent sans qu'ils aient à saisir l'occasion de se dépasser, de se réaliser dans leurs apprentissages?

Dans la tête d'un élève

Imaginez-vous maintenant dans ma classe avec l'un de ces élèves en difficulté tentant de rédiger et de corriger sa critique du roman, dans le cadre de mon projet de théâtre. Ce texte sera évalué, bien entendu, puisque l'élève de la réforme est en évaluation continue : on ne chiffre plus, mais on est constamment en situation d'évaluation. On nous répète toutefois que ce sont des situations d'apprentissage. Pourtant, je n'ai jamais tant évalué que depuis que le renouveau pédagogique est implanté.

Voici les cinq critères auxquels l'enfant de sixième année doit maintenant répondre en écriture :

1. pertinence et suffisance des idées liées au sujet, à l'intention et au destinataire;
2. organisation appropriée du texte;
3. syntaxe et ponctuation;
4. vocabulaire;
5. orthographe (graphie des mots, accords du groupe du nom, du verbe, de l'attribut et du participe passé employé avec l'auxiliaire être).

Pour l'élève qui a de la difficulté à écrire une phrase bien construite sans faire de faute, la tâche est immense, voire décourageante. Imaginez : on lui demande de critiquer un roman!

Voici à quoi cela peut ressembler : « Bon, j'ai fini. Quoi? Il me manque au moins trois arguments... euh... C'est quoi un argument? Que j'aille voir dans mes notes? Vous me l'avez déjà expliqué? Ah bon. Mais je ne sais pas c'est quoi! Faut que j'explique pourquoi j'ai trouvé ça bon? Pourquoi j'ai trouvé ça drôle? Pourquoi, pourquoi... »

Quelques instants plus tard, l'élève revient me voir. « Quoi? Que je corrige mes fautes? Quelles fautes? Mais c'est déjà fait. Quoi! J'en ai d'autres! »

L'élève retourne à sa place travailler et revient peu de temps après. « Vous voulez que je relise mon texte? Pourquoi? Il me reste des fautes? Pourriez-vous les souligner, s'il vous plaît? Je ne les vois pas! »

Évidemment, il lui reste des fautes. Alors, je les souligne. Il pourra ainsi être en mesure d'en corriger quelques-unes.

De la sorte, il pourra peut-être « répondre en partie » aux exigences du programme de français écrit. Comprenez-moi bien : je n'éprouve aucun problème à souligner les fautes de cet élève. En apprentissage, il est souhaitable d'apprendre de ses propres erreurs. Ça m'apparaît fondamental. Par contre, avec le renouveau pédagogique, il n'y a plus de session d'examen ou d'évaluation proprement dite. L'élève est en apprentissage. Et lorsqu'un élève est en apprentissage, il a le droit, et c'est tout à fait normal, de se faire aider. En revanche, là où je ne suis plus d'accord, c'est lorsqu'on nous mentionne que « ... la fonction d'aide à l'apprentissage est présente chaque fois que l'évaluation a pour but d'intervenir afin de soutenir l'élève dans l'acquisition de connaissances et le développement de ses compétences. Pour remplir cette fonction, l'évaluation doit être intégrée au processus d'enseignement et d'apprentissage[4]... »

Par exemple, lors d'une situation d'apprentissage qui fait appel à la compétence d'écrire des textes variés, l'enseignant « intervient sur-le-champ pour aider les élèves qui n'ont pas recours à des stratégies efficaces[5] ». C'est l'ABC de l'enseignement mais pas de l'évaluation ! Il vient un temps où l'on doit vérifier, ne serait-ce qu'une fois dans l'année, si l'élève y parvient seul.

Lorsqu'on apprend à un enfant à faire du vélo, à un moment donné, si on veut évaluer sa compétence à pédaler, il me semble qu'on doit cesser de tenir son vélo et le laisser aller par lui-même. En français, quand on veut vérifier si l'enfant sait écrire avec son Bescherelle, sa grammaire et son dictionnaire, on doit le laisser seul avec ses ouvrages de référence. Sinon, à mon sens, ce n'est pas de l'évaluation. C'est de l'apprentissage. Cessons de confondre ces deux concepts. Ou il apprend ou il est évalué.

Quant à moi, je suis en faveur d'une évaluation unique à la fin de chaque année ; que ce soit avec des lettres ou

---

[4] *L'Évaluation des apprentissages. Au préscolaire et au primaire. Cadre de référence*, MELS, 2002, page 7.

[5] *Ibid.*, page 8.

des pourcentages, cela m'importe peu. Le reste du temps, consacrons-nous plutôt à l'apprentissage et cessons d'évaluer constamment, comme nous oblige à le faire la réforme. Arrêtons de confondre constamment apprentissage et évaluation. L'enfant ne peut même plus apprendre sans être évalué, sous prétexte qu'on ne veut plus faire de période d'évaluation. Mais où est passée la cohérence ?

De plus, j'ai remarqué que l'enfant qui est constamment aidé développe rapidement une dépendance vis-à-vis de l'enseignant. Il n'est plus capable d'avancer seul en se fiant à ses propres moyens. Il perd confiance et s'appuie sur autrui pour réussir. Comment cet élève pourra-t-il un jour réussir à repérer tout seul ses fautes si on n'exige pas qu'il le fasse immédiatement ? Ainsi, de façon très insidieuse, le laisser-aller s'installe chez l'élève. « Pas besoin de me forcer, je n'ai qu'à demander au prof. Il va m'aider tant que je le veux, même en évaluation. » Oui, même en évaluation.

Un petit pas pour l'élève. Un grand pas pour la réussite !

La réussite selon le MELS

Je vous rappelle qu'AUCUNE NOTION D'ÉCHEC OU DE RÉUSSITE N'APPARAÎT SUR LE BULLETIN durant le cycle. Par contre, les enseignants ont l'obligation de communiquer aux parents, au moins quatre fois durant une année scolaire, la progression de leurs enfants.

Pour ce faire, ma commission scolaire a choisi de produire un bulletin avec quatre échelles d'appréciation des compétences, et ce, pour chacune des matières.

Les échelons se lisent comme suit : la cote 1 est pour l'élève qui chemine très facilement ; la cote 2, pour l'élève qui chemine facilement ; la cote 3, pour l'élève qui chemine avec quelques difficultés ; et finalement la cote 4, pour l'élève qui chemine avec beaucoup de difficulté. En plus de se retrouver dans l'impossibilité d'indiquer aux parents que leur enfant ne réussit pas, l'enseignant indique très rarement que l'élève chemine avec beaucoup de difficulté. Pour cause. La différence entre un 3 et un 4 est, selon moi, très difficile à juger.

On nous dit que l'élève qui chemine avec quelques difficultés « [...] possède certaines connaissances mais utilise sans doute maladroitement ses stratégies. Il a besoin de soutien pour transférer ses connaissances. C'est l'élève qui transfère parfois mais n'est pas constant[6]. » Lisez maintenant la grande différence avec l'élève qui chemine avec beaucoup de difficulté : « [...] il possède peu de connaissances et se montre très maladroit dans sa façon d'utiliser les stratégies requises. Il a constamment besoin de soutien pour réaliser une tâche et sa progression vers la compétence attendue se fait très lentement. C'est un élève qui transfère peu ou ne transfère pas ses connaissances[7]. » Est-ce que quelqu'un pourrait m'expliquer la différence entre les mots *certaines, parfois* et *peu*? Est-ce que, sincèrement, vous voyez une différence marquée? Difficile à interpréter, n'est-ce pas?

Loin de moi l'idée de blâmer mes collègues ou les conseillers pédagogiques qui ont conçu ces documents. Au début de la réforme, ma commission scolaire a tout de même eu l'intelligence de produire un bulletin unique pour toutes les écoles primaires de la région. Ce qui a évité, vous en conviendrez, un fouillis dans lequel malheureusement certaines commissions scolaires sont maintenant embourbées.

Je vous rappelle que le renouveau pédagogique est obligatoire. Les conseillers pédagogiques agissent plus ou moins comme des courroies de transmission. Ils doivent répondre le plus adéquatement possible aux demandes du MELS et implanter cette nouvelle philosophie qu'est la réforme. Ils effectuent simplement leur travail à partir des commandes du ministère.

C'est exactement la même situation pour nous, enseignants. On fait ce qu'on peut avec les commandes et les outils qu'on nous donne.

Et j'ai parfois l'impression que le MELS est allé magasiner ses outils chez *Matériaux à bas prix.*

---

[6] *Comment utiliser le bulletin et le bilan dans le cadre de l'évaluation par compétence?*, Commission scolaire des Affluents, mai 2005, page 8.

[7] *Ibid.*

Le bilan de fin de cycle ou comment faire réussir un maximum d'élèves

Nous voilà maintenant rendus en fin de cycle. L'enseignant doit dresser un bilan des apprentissages de l'élève. Trois choix s'offrent à lui : *Répond* (aux exigences du programme), *Répond en partie* ou *Ne répond pas.* Ne répond pas, évidemment, signifie échec. Dans ce cas, l'enseignant peut encore décider de lui faire poursuivre son cycle. Vous remarquerez ici l'euphémisme « poursuivre son cycle ». Oh ! le vilain mot « redoubler » a bel et bien disparu de notre vocabulaire. Vous remarquerez, aussi, que j'ai écrit « peut » lui faire poursuivre son cycle. Ce qui veut dire, en clair, que la plupart des élèves poursuivent leur cheminement au primaire même s'ils ne répondent pas complètement aux exigences du programme.

Par exemple, en sixième année, un élève peut très bien avoir répondu aux exigences en lecture et ne pas répondre aux exigences dans sa capacité à écrire des textes variés, mais poursuivre tout bonnement son parcours au secondaire. Contrairement à la cinquième secondaire, il n'est pas obligé de maîtriser tous les aspects du français pour être promu à un niveau supérieur d'études. Par contre, la direction de l'école peut, si elle le désire, diriger cet élève dans une école spécialement adaptée à ses besoins. C'est du cas par cas, me dit-on, il n'y a aucun automatisme. Incroyable ! Un élève qui ne répond pas aux exigences en lecture peut poursuivre son parcours au secondaire.

Nul besoin d'être pédagogue réputé pour reconnaître l'importance de la lecture à l'école. Au fait, je me demande vraiment comment un élève peut continuer à apprendre dans un contexte de classe régulière en ne répondant pas aux exigences du programme de lecture.

Un pas de plus vers la réussite !

Vous commencez à comprendre l'immense farce qu'est l'évaluation dans cette réforme. Attendez ! Ce n'est pas fini !

Répond en partie ou *Ne répond pas* ? Très peu de différences

La ligne tracée entre *Répond en partie* et *Ne répond pas* me semble très mince. Dans le cas de la lecture, par exemple, les descriptifs utilisés pour rendre compte des résultats des élèves aux parents sont les suivants. *Répond en partie* : « Votre enfant répond en partie aux attentes. Il lit et apprécie des textes courants et littéraires proposant un défi raisonnable. Avec un soutien, il dégage les informations nécessaires pour réaliser une tâche ou répondre à une intention de lecture. Il a également besoin d'aide[8]… » De l'aide et du soutien en évaluation. Voyons maintenant le niveau de compétence *Ne répond pas* : « Votre enfant ne répond pas aux attentes de fin de cycle. Il lui faut du soutien constant pour lire et apprécier les textes courants et littéraires qui lui sont proposés en classe. Il dégage difficilement les informations nécessaires pour réaliser une tâche ou répondre à une intention de lecture. Il faut souvent le soutenir[9]… » Dans les deux cas, on aide, on soutient l'élève dans la tâche à réaliser. La seule différence est que, dans un cas, l'aide et le soutien sont plus fréquents.

Personne encore, à ce jour, n'a été en mesure de m'expliquer clairement où la ligne de l'aide et du soutien était tracée entre ces deux niveaux de compétence. Pour un enseignant, l'aide apportée est fréquente quand il aide l'élève deux fois durant une situation d'apprentissage. Pour un autre, l'aide apportée est fréquente quand il aide l'élève une dizaine de fois. Puis, il y a le type d'aide apportée. On aide comment ? Certains enseignants effectuent presque la tâche à la place de l'élève tandis que d'autres lui apportent une aide vraiment sommaire. Avec cette composante d'aide à l'apprentissage, il apparaît très difficile de bien évaluer, pour son bilan de fin de cycle, le niveau réel de compétence d'un enfant.

---

[8] *Comment utiliser le bulletin et le bilan dans le cadre de l'évaluation par compétence ?*, Commission scolaire des Affluents, mai 2005, page 86.

[9] *Ibid.*

Dans la tête d'un enseignant

Imaginez-vous en train de faire votre bilan d'apprentissage. Pour vos élèves forts et moyens, pas de problème. Imaginez-vous maintenant jugeant vos élèves faibles. Êtes-vous prêt?

« Bon... dans son examen obligatoire du MELS en mathématiques de sixième année, il n'a pas compris grand-chose des concepts mathématiques enseignés. Je vais aller lire la différence entre un élève qui est en réussite partielle et celui qui est en *non-réussite*. « Partiellement réussi : L'élève a soumis un projet qui tient compte des consignes et qui témoigne de la compréhension de quelques concepts et processus nécessaires à la résolution de la situation[10]. » « Non réussi : L'élève a soumis un projet qui tient compte de peu de consignes et qui témoigne de la compréhension de peu de concepts et processus nécessaires à la résolution de la situation[11]. » Est-ce qu'il a tenu compte de *quelques* concepts ou de *peu* de concepts mathématiques? Est-ce qu'il ne répond vraiment pas... ou ne répond-il qu'en partie? Il ne peut quand même pas ne rien comprendre, ce petit-là... Il se débrouillait pas mal... Avec de l'aide, il me semble que ça va quand même un peu mieux... quoique... c'est pas fort fort... Mais on peut quand même dire qu'il a tenu compte de quelques concepts mathématiques... *Quelques* ou *peu*? Disons qu'avec de l'aide dans les autres situations d'apprentissage, il réussissait à faire quelque chose de potable... Et puis, si j'écris *Ne répond pas*, la terre va se figer sur son axe... Je vais peut-être devoir rencontrer la direction pour justifier ma décision, revoir le dossier d'aide... Au fond, est-ce qu'il ne pourrait pas continuer ses apprentissages au secondaire? Je l'ai aidé, mais pas tant que ça. Puis, parfois, il transfère ses connaissances. Il transfère *peu* ou *parfois*: c'est quoi donc la différence entre *Répond en partie* ou *Ne répond pas*? Ah pis, de toute façon,

---

[10] *Épreuve obligatoire. Mathématiques. Fin du troisième cycle du primaire. Guide de correction*, MELS, mai 2006, page 35.

[11] *Ibid.*, page 36.

il *répond en partie...* Et ça vient de finir. On lui donnera de l'aide. Ça devrait aller. »

Encore un autre pas vers la réussite ! Bravo, on y arrive !

En lecture, maintenant. Allons lire comment le MELS me suggère d'interpréter mes résultats : « Nombre de points obtenus sur un total de 71 points : 63 points et plus est très satisfaisant, 51 à 62 points est satisfaisant, 43 à 50 points est acceptable, 19 à 42 points est peu satisfaisant et 18 points et moins est insatisfaisant[12]. » Est-ce que mon élève qui a obtenu 38 sur 71, c'est-à-dire 54 % ou peu satisfaisant, répond aux attentes de fin de cycle ? On peut dire d'un repas qu'il est peu satisfaisant mais le manger quand même ! Est-ce à dire qu'un élève est considéré en échec seulement s'il obtient 18 points et moins, c'est-à-dire moins de 25 % ? Est-ce le nouveau seuil de réussite du MELS, 25 % ? C'est vrai : les pourcentages n'existent plus. Mais alors, pourquoi chiffrer les résultats à l'intérieur même de l'examen du ministère ? Est-ce un avant-goût de ce que nous mijote le ministre Fournier ? Le retour au pourcentage ?

Lisons maintenant le rôle des épreuves obligatoires dans la réalisation du bilan d'apprentissages : « [...] La réalisation du bilan de fin de cycle est une démarche qui se planifie en prévoyant, entre autres, l'analyse d'un ensemble de résultats, dont ceux obtenus dans le cadre de l'épreuve ministérielle de français, langue d'enseignement[13] [...] » C'est clair : il m'appartient d'analyser l'ensemble des situations où j'ai porté un jugement sur la compétence d'un élève à lire des textes variés. Si je regarde ça de plus près, c'est vrai qu'avec de l'aide, celui-ci finissait par arriver à comprendre ce qu'il lisait. Donc, même s'il a eu 54 % dans ce test plutôt facile, si je tiens compte de ses autres situations d'apprentissage où il cheminait avec quelques difficultés, il devrait passer au niveau secondaire.

Voilà comment, *grosso modo*, un élève qui aurait été en échec avec 54 % autrefois se retrouve maintenant promu au

[12] *Épreuves obligatoires. Français. Fin du troisième cycle du primaire. Mission possible ! Guide 2 Correction des épreuves*, MELS, juin 2006, page 29.

[13] *Ibid.*, page 43.

secondaire. Incroyable, mais rien de plus vrai. Un autre grand pas vers la réussite !

Vous commencez à saisir les raisons pour lesquelles je me suis retrouvé avec certains élèves de niveau quatrième année en français. Évidemment, cette situation ne devrait pas exister. Les enseignants qui ont eu ces élèves avant moi auraient dû avoir entre les mains les outils leur permettant de trancher leur cas de façon plus claire pour ensuite prendre la décision avec la direction de ne pas les faire passer à l'autre cycle. Mais bon... On a compris que c'était pratiquement impossible.

J'imagine que, si cette façon de gérer l'évaluation était appliquée à la SAAQ, une personne avec un grave problème de vision pourrait maintenant être en droit de demander son permis de conduire. Pourquoi pas ? Elle *répond en partie* aux exigences du test de conduite. Absolument, bande d'incrédules. N'est-elle pas capable de tenir son volant ? D'entendre (bien mieux que vous, d'ailleurs) les bruits environnants ? De mettre la bonne pression sur sa pédale de frein ? Le seul aspect qui la désavantage, c'est qu'elle ne voit pratiquement rien. Pourquoi ne pas lui apporter un *peu* d'aide ou *parfois* (c'est quoi déjà le pire entre les deux) ? Est-ce qu'on va en faire toute une histoire ? Allons, donnons-lui son permis de conduire. On n'aura qu'à indiquer sur celui-ci qu'elle *RÉPOND EN PARTIE* aux exigences de la conduite automobile... avec un peu d'aide.

On comprend qu'il est presque impossible qu'un élève se retrouve avec la mention *Ne répond pas.* Avant la réforme, l'élève faible qui était en évaluation ne recevait aucune aide. De ce fait, il pouvait lui arriver d'obtenir 54 % à son bulletin final. Est-ce qu'il répondait quand même en partie aux exigences du programme ? Non, il était recalé. Il lui manquait 6 %. On jugeait que son résultat était insuffisant.

Or, ces petits 6 %, aujourd'hui, ne sont plus mesurés dans le bilan des compétences. Pire encore, on ne laisse plus l'élève faible avoir de si basses notes car, je le répète, on peut l'aider. Dans ces conditions, il devient donc très difficile, pour ne pas dire impossible, de tracer une ligne claire entre le succès et l'échec.

De plus, pour décider de l'échec d'un élève, d'autres facteurs entrent en ligne de compte. Il faut notamment s'assurer que le nombre de places soit suffisant dans la classe pour faire reprendre son année à un élève ou encore qu'il y ait de la place dans les classes spécialisées, qui sont, malheureusement, de moins en moins nombreuses. Inscrire *Ne répond pas* a des impacts considérables, tant sur le plan pédagogique que sur le plan administratif.

Dernièrement, mes collègues me racontaient que certaines directions auraient mentionné à leurs enseignants qu'elles ne voulaient qu'un ou deux élèves, tout au plus, qui *ne répondent pas*. Et que, s'il y en avait plus, ce serait trop.

Des quotas ? Eh oui.

Service d'aide inadéquat

Dans notre système actuel, les élèves en grande difficulté sont repérés assez tôt, généralement dès la première année. Même si le processus est devenu extrêmement technocratisé, l'enfant finit, souvent un an plus tard, par recevoir l'aide à laquelle il a droit. Alors, pourquoi ces élèves-là se retrouvent-ils encore en très grande difficulté dans ma classe ?

Parce que l'aide qu'on leur apporte est souvent insuffisante.

La plus grande part de l'aide est fournie par l'orthopédagogue qui, à cause des sommes insuffisantes offertes par le gouvernement, ne peut répondre adéquatement aux besoins des enfants en difficulté. Les plus chanceux réussissent à voir ce spécialiste entre 45 et 90 minutes par semaine. Est-ce qu'on croit vraiment, avec cette aide ponctuelle, pouvoir régler leurs problèmes ? Pire, on ne donne tout simplement pas le bon type d'aide à la bonne personne. Si l'orthopédagogue ne recevait que ceux qui ont de petits problèmes, il pourrait jouer son rôle adéquatement. J'en ai la conviction : autrefois, avant la réforme, les rares élèves que je recommandais pour des visites chez l'orthopédagogue cheminaient très bien et, une fois de retour en classe, leur rendement s'améliorait de façon évidente. Leurs difficultés, par contre, étaient bien minces comparées aux difficultés actuelles de mes élèves en trouble d'apprentissage.

Tout se passe comme si vous aviez besoin d'un neurochirurgien pour vous guérir de votre mal de tête atroce, mais que c'est avec l'aide d'*Info-Santé* que vous tentiez de vous soigner. C'est donc dans ces conditions qu'un élève ayant de graves difficultés d'apprentissage poursuit son primaire jusqu'en sixième année. Le pire, c'est que la plupart du temps, ces élèves, des cas lourds, ne sont même pas considérés comme ayant de graves troubles d'apprentissage. Non. Ils sont tout simplement considérés « à risque ».

Tout un risque ! Le nouveau jargon du MELS, de toute évidence, adore les euphémismes.

En outre, plusieurs élèves qui auraient dû profiter des services d'un spécialiste comme l'orthopédagogue n'en ont jamais reçu. Pourquoi ? Sans doute parce qu'on pense d'abord à régler les problèmes les plus urgents. C'est exactement comme en santé : on traite d'abord les cas les plus lourds. Les autres ? On s'en occupera quand on aura le temps. En espérant que le problème disparaîtra d'ici là. Comme par magie.

Malheureusement, pour les enfants en difficulté, les problèmes ne disparaissent que très rarement.

Le plus grand des mensonges

Le plus grave dans toute cette situation, c'est de faire croire à ces enfants, durant tout leur primaire, qu'avec l'aide de l'orthopédagogue et grâce à la réforme, ils pourront, en six ans, sans même redoubler une seule année, arriver au même point que tous les autres. Quel affreux mensonge ! Ils se retrouvent maintenant à la fin de leur primaire sans les acquis nécessaires pour aller au secondaire.

Sans doute a-t-on tenté de construire l'estime de soi de ces enfants pendant six ans…

Mais n'est-il pas plus cruel de les lancer vers le secondaire avec aussi peu d'acquis ? C'est comme si je vous disais : « Vas-y, entraîne-toi un peu et tu vas pouvoir toi aussi grimper l'Everest ! Quoi ? Tu as soixante-sept ans et tu as des problèmes pulmonaires et tu viens juste d'arrêter de fumer ? Tu ne vas pas te décourager pour si peu ! Ce n'est pas grave, on va te fournir un entraîneur de 45 à 90 minutes par semaine. Ça te va comme ça ? Allez, un peu de bonne volonté ! »

Dans ma classe, parmi les élèves que je considérais en difficulté grave, seulement la moitié iront en classe spéciale. Les autres ? Leurs problèmes n'étaient sûrement pas assez criants pour qu'on les envoie fréquenter des classes spécialisées. Malheureusement, je peux affirmer sans craindre de me tromper que ces élèves « garrochés » sauvagement dans le secteur régulier ne réussiront pas leur première secondaire. À moins bien sûr que l'école secondaire ait déjà abaissé ses exigences à ce point. J'ose espérer que non. Mais avec l'esprit de la réforme qui souffle désormais sur celle-ci…

Quand la pensée magique dévore l'éducation

La réforme actuelle repose trop confortablement sur l'idée que, si l'élève en difficulté se retrouve dans une classe stimulante, avec de nombreux projets mobilisateurs, il trouvera nécessairement la motivation pour réussir. Comme si, dans le processus d'apprentissage, tout se résumait aux projets motivants. Depuis maintenant quelques années, que ce soit à Télé-Québec ou dans les revues pédagogiques ministérielles du type *Virage* ou encore dans des articles de journaux, on essaie de nous vendre cette idée du – très à la mode – projet intégrateur. Combien de fois ai-je entendu des témoignages bouleversants d'enseignants qui prétendent que, grâce à la musique, à l'art plastique, au théâtre ou à tout autre projet, ils réussissent à faire apprendre dans la joie et la bonne humeur le français ? Je lisais encore récemment qu'un enseignant avait profité de la réforme pour construire des projets merveilleux.

Bref, cet enseignant conçoit depuis quelques années des projets fantastiques avec ses élèves. Ainsi, l'année dernière, ceux-ci avaient construit de petites voitures propulsées par des pièges à souris. Cette année, ils ont produit des films muets, créé des robots téléguidés et organisé une mission spatiale. « J'ai fait ça pour que les élèves aient du plaisir dans l'apprentissage ; même si c'est beaucoup de travail, ça en vaut la peine », dit-il. Et les élèves ont été charmés parce qu'ils n'avaient pas l'impression de travailler. « Mine de rien, explique-t-on dans l'article, les élèves ont tout de même fait du français (en lisant les instructions de la mission), de l'anglais (certaines informations devaient être traduites), des mathématiques (calculs, mesure et statistiques), des arts (en concevant le décor) et de l'informatique (en installant un simulateur de vol)[14]. »

Mais, dites-moi, monsieur le professeur, est-ce que vous pouvez affirmer que vos élèves ont réellement appris le français en lisant simplement les instructions de la mission?

Que dire de l'élève qui annonce sans gêne que « c'est le *fun* faire des projets parce que, pendant ce temps-là, on ne travaille pas »! Pour moi, cette phrase résume malheureusement une des pensées magiques de la réforme : on peut réellement apprendre n'importe quoi tout en s'amusant. « Oui, mesdames et messieurs, enseignantes et enseignants, faites la différence dans votre propre classe! Pour seulement six paiements faciles, enseignez à tous ces élèves en difficulté et faites-leur apprendre avec succès les règles du participe passé, de la ponctuation et bien plus grâce aux fusées sans même qu'ils ne s'en aperçoivent! »

« Si ça existait, on l'aurait! », dit la pub.

Par contre, il est clair que les activités de cet enseignant semblent exaltantes. Mais arrêtons de nous dire que l'on peut tout apprendre grâce à des projets et en s'amusant, de surcroît. Oui, je suis sûr que les élèves de cet enseignant dévoué ont appris plein de choses. Mais ce que l'article ne mentionne pas, c'est qu'il a bien fallu, à un moment ou à un autre dans l'année, qu'il soit en classe avec ses élèves pour leur faire apprendre des connaissances de base telles que le participe passé, les verbes, etc. Fusée, pas fusée!

Ces voix dans ma tête

J'entends déjà des directions d'école, des conseillers pédagogiques et certains enseignants me dire que la réforme n'a jamais imposé le projet comme mode d'enseignement privilégié.

[14] « Finir l'année scolaire en fusée », *La Presse*, samedi 19 juin 2004, page A16.

C'est vrai que, dans les textes que j'ai parcourus, je n'ai pas retrouvé cette obligation formelle. Sauf que tous les manuels, tous les conseillers pédagogiques et presque toutes les directions privilégient cette approche. On nous forme à mettre en place des projets. Les situations d'apprentissage proposées par nos conseillers pédagogiques sont, à ma connaissance, presque toutes sous cette forme. Alors, dire que la réforme n'oblige pas à utiliser le projet comme moyen privilégié pour enseigner est tout simplement un mensonge.

D'ailleurs, il m'apparaît très difficile de remplir adéquatement portfolio et bulletin par compétences si on ne fait pas, comme enseignant, au moins quelques projets. Je commence même à penser, de façon un peu paranoïde, qu'on s'est servi du bulletin descriptif par compétence et du portfolio pour imposer cette réforme aux enseignants. C'est qu'il m'apparaît impossible de bien remplir ces deux outils d'évaluation sans passer par quelques projets. Par exemple, si on veut vérifier si l'enfant utilise ses connaissances grammaticales, il doit évidemment produire un texte. Ce dernier doit être significatif et mobilisant pour l'élève. Quoi de mieux qu'un projet? On pourrait lui demander de faire la description du personnage qu'il aura à jouer dans sa prochaine pièce de théâtre, par exemple!

La dure réalité

Il y a deux ans, certains de mes élèves en difficulté étaient d'excellents comédiens qui ont adoré leur expérience théâtrale. Par le biais de cette forme d'art, ils ont nettement renforcé leur confiance en eux-mêmes. J'en suis convaincu. Au début de ma carrière d'enseignant, je croyais dur comme fer que cette confiance acquise en faisant du théâtre pourrait être réinvestie dans tous les domaines de leur vie scolaire. C'était une hypothèse que j'étais prêt à défendre avec passion… jusqu'à tout récemment.

Je me suis finalement aperçu que l'élève en difficulté en français, par exemple, pouvait littéralement brûler les planches avec une confiance incroyable, mais se retrouver, deux jours plus tard, devant un court texte à écrire, totalement dépourvu de cette belle assurance. Pourtant, je lui demandais d'écrire combien il avait aimé son expérience sur scène, de raconter les émotions qu'il avait vécues, d'écrire ce qu'il avait ressenti avant et après la représentation. De vive voix, cet élève était capable, sans se faire prier, de me décrire ses émotions. Mais à l'écrit, il n'y arrivait tout simplement pas. Il se trouvait nul en écriture et ce n'était certainement pas le théâtre qui allait lui redonner confiance quant à cette matière.

Le théâtre, comme les fusées, c'est bien.

Mais ce n'est pas magique.

C'est pourtant si simple à comprendre ! Notre niveau de confiance n'est pas le même partout et la confiance vis-à-vis d'une tâche ne se transfère pas nécessairement à une autre. L'image positive que l'élève a de lui-même en jouant sur une scène n'est vraiment plus la même lorsqu'il se retrouve devant un texte à lire ou à écrire, là où il s'est toujours perçu inapte. Pour régler son problème en français, il faut assurément rétablir sa confiance par rapport à cette matière. Changer la perception qu'il a de lui. Pas en lui proposant toutes sortes de projets, mais plutôt en l'amenant à vivre de petits succès en français, étape par étape.

Malheureusement, la réforme propose des situations d'apprentissage et des projets qui, bien qu'intéressants, sont souvent trop complexes, surtout pour l'élève qui ne possède pas les savoirs essentiels. L'élève en difficulté a du mal à s'y retrouver et n'arrive pas à se départir de l'image négative qu'il a de lui-même face à cette tâche, même si celle-ci est reliée à ce qu'il aime le plus au monde – le théâtre, par exemple.

L'an dernier, j'ai proposé une multitude de textes à lire et à écrire liés au projet de théâtre. C'est dommage mais, quand vient le temps d'écrire sans fautes, on a beau faire le plus stimulant des projets, si on se trouve *poche* en français, on va encore se trouver *poche*… et les participes passés vont encore nous faire suer.

De la poudre aux yeux

Avec la réforme, tout se passe comme si l'élève avait reçu un beau vélo neuf pour monter la grosse côte près de la maison. L'élève se dit qu'avec ce vélo, pas de problème, la côte va être facile à monter… sauf qu'il s'aperçoit rapidement que, s'il veut la monter, il devra souffrir et suer un bon coup. Même avec le plus beau des vélos.

Se rendre en haut, atteindre ses objectifs…

Apprendre, c'est difficile. Et ce sera toujours difficile, réforme ou pas. Mais quelle vue en haut de la côte ! Seulement voilà : les élèves en difficulté ne se rendent que très rarement en haut de la côte scolaire. Je crois qu'on devrait leur faire monter des côtes à leur niveau, puis, graduellement, leur en montrer de plus en plus hautes. Mais, de grâce, arrêtons de leur faire croire qu'ils sont capables de monter la même côte que leurs voisins qui l'ont déjà gravie plusieurs fois. Ils ne sont pas dupes : ils voient bien que, même s'ils sont rendus en sixième année, ils n'y arrivent pas. À moins que l'enseignant ne réduise ses exigences et diminue la hauteur de la côte…

Hélas, je crois que cette pratique est déjà de mise dans la plupart des écoles primaires du Québec.

Amusante pour le fort, mais conçue pour le faible

On commence à comprendre, paradoxalement, que la réforme convient généralement aux élèves forts, et même moyens, mais a beaucoup de mal à répondre aux besoins de plus en plus grandissants des élèves en difficulté. Selon moi, ces derniers fonctionnent beaucoup mieux avec un enseignement plus traditionnel axé sur les connaissances. Quand on pense que le renouveau pédagogique a été en grande partie conçu pour eux !

Cette réforme aurait pu réussir si on n'avait pas décidé de supprimer, entre autres, le redoublement et, du même souffle, de faire en sorte que tout le monde réussisse. Ce renouveau pourrait être vraiment utile et plaisant pour les élèves relativement forts possédant déjà des savoirs, généralement acquis à la maison, leur permettant aisément de transférer ces fameuses connaissances. Pour eux, les projets proposent de réels défis. Mais ceux-ci, je le répète, sont trop éprouvants pour les élèves en difficulté. Il y a trop de choses à apprendre en même temps. Ils n'arrivent pas à surmonter les problèmes seuls et ont constamment besoin d'aide. Cela ne fait que renforcer leur sentiment d'incompétence quant aux matières dans lesquelles ils éprouvent déjà des difficultés.

La réforme aurait été doublement bienvenue, je crois, si les classes étaient restées un tant soit peu homogènes. Pas nécessairement une homogénéité mur à mur : tout simplement des classes à distribution normale. Tout le monde y aurait trouvé son compte. Y compris les élèves en légère difficulté. Mais avec la composition actuelle des classes, impossible d'avoir le temps de répondre aux besoins de chaque élève en grande difficulté, car ils sont, je le répète, beaucoup trop nombreux. Et ce, même avec le nouveau remède de la différenciation pédagogique.

Mais alors, que faire de tous ces élèves en difficulté ?

À mon avis, les classes spéciales, où les besoins des enfants en difficulté sont respectés, notamment en réduisant de moitié le ratio maître/élèves, devraient être maintenues. Par contre, on ne devrait y avoir recours qu'en ayant pour objectif, très clairement, la reprise éventuelle du cheminement régulier. On devrait parvenir à réintégrer un enfant en légère ou moyenne difficulté après tout au plus trois ans de fréquentation d'une classe spéciale.

Autrefois, on gardait trop souvent les élèves en difficulté *ad vitam aeternam* dans des classes ou écoles spécialisées. À l'époque où j'enseignais à ce type d'élèves, au secondaire, le message des directions d'école aux profs était très clair : « Faites ce que vous voulez, mais arrangez-vous pour qu'il n'y ait pas trop de problèmes. » C'était une situation extrêmement pénible pour moi et encore plus pour les élèves qui se retrouvaient sans objectif, sans but à atteindre.

Une classe qui n'a aucun objectif réel devient rapidement une triste garderie. Évidemment, je ne suis pas en faveur d'un retour à ce genre de ghettos. Je suis en faveur des classes et écoles spécialisées qui pourraient fournir une aide plus adéquate à nos enfants en difficulté que les classes régulières. Je sais que de telles écoles existent déjà et je sais aussi que les élèves qui les fréquentent ne sont pas dévalorisés ou rabaissés, bien au contraire. Alors, qu'attend-on pour en ouvrir davantage ? Que toutes les écoles primaires du Québec se transforment en tristes garderies ?

Une réforme strictement économique

Étant donné que plusieurs enfants du primaire auraient dû quitter les classes régulières pour des classes spécialisées, ce sont les enseignants et les enfants qui doivent payer le prix de cette intégration déguisée. Dans notre école, nous avons actuellement commencé le processus de différenciation pédagogique : on forme ce qu'on appelle « des groupes de besoins ».

Le processus est simple et plein de bon sens, étant donné l'état actuel des choses, bien sûr. Il s'agit de classer les élèves à partir de leur niveau de compétence et de les placer en sous-groupes. Ainsi, l'enseignant sait à qui il enseigne et peut répondre plus adéquatement aux besoins de ses élèves. Facile, n'est-ce pas ? Sauf que cela demande toute une organisation de la part des enseignants et de la direction.

Avant la réforme, il n'y avait pas de « groupe de besoins ». Personne n'en avait besoin ! Les classes de mon école n'avaient presque pas d'enfants en difficulté. Pour moi, les groupes de besoins (et tous les autres aspects de la différenciation pédagogique) ne sont que de nouvelles lubies pour nous faire accepter cette intégration massive et déguisée d'enfants en difficulté. Je ne possède pas les chiffres, mais ça ne prend pas la tête à Papineau pour comprendre que le gouvernement effectue ou effectuera des économies substantielles.

Et moi qui croyais que cette réforme avait été mise en place pour le bien de l'élève et surtout de celui en difficulté…

Quel naïf !

Parmi mes collègues, certains « chialeux » notoires m'avaient pourtant répété *ad nauseam* :

– La réforme, c'est juste une façon de plus pour le gouvernement d'économiser de l'argent.

Et je répondais :

– Non, ça découle des états généraux de l'Éducation. C'est un enseignement par projet. Il n'y aura plus de notes, plus de compétition, plus de moyennes. L'élève va progresser à son rythme et…

– Attends. Tu vas voir !

Force est de constater que les chialeux avaient raison.

Des classes « normales », s'il vous plaît.

Un jour ou l'autre, il faudra bien revenir à des classes spécialisées pour élèves en difficulté. De toute façon, on n'a pas tellement le choix. Si on ne retrouve pas une courbe relativement normale dans les classes, si les élèves faibles y sont en trop grand nombre, il faudra s'attendre inévitablement au nivellement par le bas. On ne peut pas passer à côté. Comment voulez-vous donner un enseignement adéquat à tous les élèves forts, moyens et faibles quand plusieurs ne saisissent mes explications qu'une fois sur quatre ? Pour accorder un participe passé, il faut bien que l'élève ait compris au préalable ce qu'est un verbe, un adjectif et un nom. S'il n'a jamais saisi ces notions, il est clair qu'il ne pige absolument rien de ce que je raconte. Mon enseignement se fera alors au ralenti et il deviendra très difficile pour moi de bien couvrir la matière.

Au moment où j'écris ces lignes, je finis l'année avec une classe ayant davantage d'élèves en difficulté que par le passé. Oui, le nivellement par le bas a bel et bien commencé. Eh oui ! vous l'avez deviné : je ne fais plus de théâtre. J'enseigne à l'aide de tout petits projets… L'enseignement par projets, c'est une deuxième nature chez moi. Et puis, j'ai encore la moitié de ma classe qui est réellement de niveau sixième année !

C'est quand même incroyable que la situation se soit détériorée à ce point en si peu de temps. Je suis même convaincu que, si je plaçais mon élève le plus faible d'il y a quatre ans dans ma classe actuelle, il serait considéré, aujourd'hui, comme un élève moyen.

En fait, parmi les élèves en difficulté de ma classe de sixième année, nombreux sont ceux qui sont de niveau troisième année en écriture. Troisième. Il faut tout leur enseigner. Tout. Comment reconnaître un verbe, un adjectif. Comment rédiger une simple phrase. Etc. Pourtant, le français devrait être considéré comme la matière essentielle à la réussite d'un élève. On devrait exiger la qualité du français partout et en tout temps. Comment se fait-il qu'un élève se soit rendu en sixième avec une maîtrise aussi partielle de sa langue maternelle ?

Si l'élève rédige une hypothèse scientifique, profitons-en : apprenons-lui le français, de grâce ! Refusons les travaux remplis de fautes. Obligeons l'élève à nous remettre des textes corrigés, que ce soit en sciences ou en mathématiques.

Malheureusement, les journées n'ont que 24 heures. Si je faisais tout ce que je recommande, avec tous mes élèves, je travaillerais sans doute de 12 à 15 heures par jour. Mais je n'en démords pas : apprendre le français uniquement à partir de ses textes est insuffisant pour un élève. Je dois aussi donner des cours sur les règles de grammaire, des dictées, etc. Pour arriver à écrire correctement, il doit avoir des connaissances. Et ces connaissances, elles doivent être enseignées régulièrement, systématiquement et de façon directe.

En grammaire, on doit faire faire des exercices à répétition. D'ailleurs, depuis quand la répétition ne fait-elle pas partie de l'apprentissage ? Si on veut marquer des buts au hockey, qu'est-ce qu'on fait ? On s'exerce à lancer des milliers de fois ! Pourquoi serait-ce différent à l'école ?

Bien sûr, il n'y a pas que la grammaire dans la vie scolaire. Et je crois important, à un moment donné, de transférer ses connaissances, comme le mentionne la réforme. Mais encore faut-il les enseigner, ces fameuses connaissances ! On a vu précédemment qu'il peut être très difficile de partir de situations d'apprentissage complexes ou de projets pour transmettre des connaissances aux élèves. Et je suis conscient, par ailleurs, que certains enseignants de jadis se sont trop longtemps appuyés uniquement sur les exercices à répétition, par exemple, pour enseigner le français. Soit. Mais ce n'est pas une raison pour balancer tout ça par-dessus bord.

Retour en arrière

C'est quand même ironique que moi, grand réalisateur de projets depuis que j'enseigne, j'en vienne à écrire un pamphlet sur les ratés de la réforme. J'étais déjà « réforme » à l'époque où seules les écoles alternatives proposaient ce type d'enseignement. De plus, j'aime l'approche pédagogique où la coopération occupe une place importante. Mais ce que le ministère n'a pas compris, c'est que, pour enseigner de cette façon, il faut d'abord le vouloir. Je dirais même que ce doit être une seconde nature.

Les classes dont j'ai hérité depuis l'implantation de la réforme ressemblent de moins en moins à des classes régulières. De plus, j'observe un écart qui se creuse constamment entre les forts et les faibles. Veut-on faire de nos classes régulières des classes d'adaptation scolaire où les besoins des plus forts ne pourront plus être considérés, faute de temps et d'appui professionnel ?

Le gouvernement doit faire marche arrière. Il doit prendre conscience de ce qu'exige cette réforme de la part des enseignants qui s'adressent de plus en plus à des enfants en difficulté.

L'année dernière, je suis revenu à un enseignement plus traditionnel. Je pense que, de cette façon, il me sera plus facile de répondre convenablement aux besoins de mes élèves. Je n'abandonne pas les projets en tant que tel : je les modifie pour qu'ils prennent moins de place. Vous savez, la sixième année était auparavant une année de consolidation des apprentissages : il ne restait plus que 25 % de nouvelles notions, environ, à enseigner. Je faisais donc écrire mes élèves régulièrement afin qu'ils déploient toutes leurs connaissances acquises depuis le début du primaire.

Les projets intégrateurs, qui ont pour but de consolider les acquis, demandent du temps, beaucoup trop de temps. Ce dernier ne m'est plus disponible. Il disparaît dans l'accompagnement que je dois fournir aux trop nombreux élèves en difficulté d'apprentissage.

Quelle perte de temps cependant pour mes élèves moyens et forts, qui sont censés se retrouver dans une classe dite régulière ! Non, impossible de passer à côté d'un nivellement par le bas sans précédent si le ministère s'obstine à poursuivre cette intégration sauvage et cachée des élèves en difficulté.

Parents qui lisez ces lignes, savez-vous que votre école primaire régulière commence à ressembler à une école pour enfants en difficulté d'apprentissage, mais sans les ressources dont bénéficie habituellement celle-ci ? Personne, dans ce contexte, ne sera surpris de voir pousser comme des champignons les écoles primaires privées, autrefois rarissimes.

Malaise

Pour la première fois depuis le début de ma carrière d'enseignant, j'ai quitté mes élèves avec un certain malaise. Un sentiment de devoir non accompli. De mission ratée. J'ai le sentiment d'être passé à côté. Pourtant, le climat dans ma classe était bon et empreint de camaraderie.

Je pataugeais dans ces émotions-là quand une collègue vint me dire exactement la même chose. Elle avait également de nombreuses années d'expérience et n'avait jamais ressenti de telles émotions. En poursuivant la discussion, l'explication émergea : nous n'avions pas pu aider nos élèves en difficulté comme nous le faisions par le passé. La raison était maintenant évidente. Il y avait trop d'élèves de ce type dans nos classes. Nous n'y arrivions tout simplement pas.

Il est extrêmement difficile de voir partir des élèves de sa classe en sachant très bien qu'ils n'ont pas reçu l'aide dont ils avaient besoin. Avec la réforme, c'est exactement ce type d'élèves qui écopent le plus. Je le répète : les défis intéressants et stimulants pour les uns deviennent vite cauchemardesques pour les autres.

Volte-face du gouvernement ?

L'année dernière, le gouvernement a mis un frein à la grosse machine de la réforme pour en faire un premier bilan. La table de pilotage du renouveau pédagogique, dit-on. Arrêt des nouvelles applications pédagogiques. On veut voir si ça marche, la fameuse réforme.

Bien que j'écrive ces lignes au début juin 2006, je peux déjà prévoir la réponse des personnes assises à cette table. OUI, ça fonctionne, et même très bien. À mon école, la direction m'a annoncé récemment que 98 % des élèves réussissent ! BRAVO ! Qu'est-ce qu'on peut demander de plus ? Voilà l'objectif premier de cette réforme atteint : LA RÉUSSITE.

J'ignore si l'opinion publique va cautionner ce mensonge politique mais, moi, je croirai en ces résultats lorsque 98 % des élèves auront répondu vraiment aux exigences du programme. Pour l'instant, dans ce pompeux 98 %, on retrouve, selon moi, près de la moitié des élèves qui n'y répondent qu'en partie. Ce n'est pas sérieux.

Quand on abaisse nos exigences, il est clair que la réussite augmente. Mais quelle réussite ?

On peut d'ores et déjà prévoir que l'évaluation de ce renouveau pédagogique – au départ attendue pour avril 2006 – n'ira pas jusqu'à le remettre en question. Les fonctionnaires du MELS, ceux-là mêmes qui ont poussé les différents ministres à appliquer cette réforme, n'iront quand même pas s'immoler sur la place publique ! De plus, il ne faudra pas s'étonner de l'attitude du ministre. Peu d'hommes politiques auraient le courage ou l'inconscience d'arrêter ce train en marche à la veille d'une élection, de peur de porter le blâme d'une réforme mal implantée.

Malheureusement, on va faire simplement comme si le renouveau n'avait besoin que de légers ajustements ici et là. Ce Frankenstein pédagogique sera bien moins horrible avec du fond de teint.

En mai dernier, le ministre Fournier a décidé d'appliquer la première couche à notre sympathique monstre pédagogique. Effectivement, il veut changer la loi pour permettre aux parents de décider des formes d'évaluation au primaire, et ce, pour chacune des écoles : beau fouillis en perspective ! De toute façon, c'est un faux débat. En ce qui me concerne, ce n'est vraiment pas le bulletin, le problème. Il se trouve plutôt dans la façon dont l'évaluation est appliquée. Il me semble maintenant évident que le MELS veut faire réussir le plus grand nombre d'élèves possible. Peu importe le bulletin préconisé, que ce soit des chiffres ou des lettres, ça ne changera rien à cet état de fait.

Les épreuves du MELS : une passoire de plus

Ça ne date pas d'hier, cette volonté politique de faire réussir à peu près tout le monde en français. Depuis que j'enseigne au primaire, les examens du ministère de fin d'année ont toujours été très faciles à réussir. Depuis les six dernières années, nos sujets d'épreuves en lecture sont directement reliés aux sujets des épreuves d'écriture. Si, par exemple, l'élève a à répondre à des questions sur un texte portant sur le gaspillage de l'eau potable, plus tard, l'intention de sa situation d'écriture sera de convaincre, en 200 mots ou plus, un membre de sa famille de ne pas gaspiller celle-ci.

Ces deux épreuves se déroulent sur une période de deux semaines. Durant ce temps, les élèves parlent, échangent sur le thème prescrit par le ministère. La situation d'écriture s'effectuant uniquement à la fin de ce processus, vous aurez compris qu'ils ont tout le temps voulu pour bien se préparer. On peut dire, sans se tromper, que la table est mise.

Avant l'arrivée des bulletins par compétences, cinq critères sur huit étaient reliés au respect des contraintes de la langue. Parmi ceux-ci, on retrouvait :

1. les phrases sont bien construites ;
2. les phrases sont ponctuées adéquatement ;
3. les mots usuels sont écrits correctement ;
4. les déterminants, les adjectifs, les participes passés sans auxiliaire et les pronoms sont écrits correctement ;
5. les verbes sont écrits correctement.

Il est à noter que, pour aucun de ces critères, l'élève ne pouvait se voir décerner la note zéro. Tout au plus recevait-il deux ou trois. Aussi, pour obtenir la note de 9 sur 15 au critère 4, par exemple, l'élève pouvait aller jusqu'à faire 17 fautes dans un texte de 350 mots ou plus. C'est vrai, 17 fautes dans un texte de 350 mots, ce n'est pas énorme pour des élèves de sixième année. C'est vrai, sauf qu'au critère 5, par exemple, pour avoir 6 sur 10, l'élève pouvait faire jusqu'à 13 fautes d'accord du verbe. Vous voyez, on est déjà rendu à 30 fautes et je n'ai corrigé que deux critères sur cinq. De plus, les autres critères, comme l'intention et la cohérence du texte, permettaient habituellement à l'élève de bien réussir son examen. Vous comprendrez qu'avec ce système de pointage, pratiquement aucun élève n'était réellement « capable » de ne pas réussir sa situation d'écriture.

Maintenant, depuis que les pourcentages sont disparus, l'examen d'écriture du MELS me semble encore plus facile à réussir. Des huit critères de l'époque, on est passé à cinq. Trois de ces derniers sont reliés au respect des contraintes de la langue. Parmi ceux-ci, on retrouve :

1. syntaxe et ponctuation ;
2. vocabulaire ;
3. orthographe.

Il est à noter que seul le critère 3 s'évalue à l'aide de points. Les autres s'évaluent grâce à des énoncés. Par exemple, pour juger si l'élève possède une syntaxe acceptable ou partiellement satisfaisante, je dois me référer au passage suivant : « En général, les phrases sont bien structurées et bien ponctuées. Certaines phrases élaborées sont mal structurées[15]. »

En général… Certaines phrases… Ça veut dire combien de phrases dans un texte de 350 mots ?

Vous rappelez-vous : *RÉPOND EN PARTIE* ?

Avec ou sans pourcentage, la réussite en français restera toujours une « priorité » pour nos bons gouvernements. Sérieusement, si on veut réellement améliorer la qualité du français au Québec, au lieu de donner le pouvoir aux parents pour qu'ils puissent décider du type de bulletin de leurs enfants, il serait peut-être temps de regarder du côté des enseignants qui, généralement, sont beaucoup plus exigeants que le MELS. Combien de fois ai-je entendu : « Ça m'écœure, cet élève n'est pas capable d'écrire une phrase sans faire trois fautes, mais y passe pareil ! » Ou encore : « Je le sais : il ne devrait pas passer mais, avec les critères fournis par le ministère, je n'ai pas le choix ! »

[15] *Épreuves obligatoires. Français. Fin du troisième cycle du primaire. Mission possible ! Guide 2 Correction des épreuves*, MELS, juin 2006, page 33.

L'histoire se répète

Je crois, moi aussi, qu'on peut demander beaucoup à nos élèves. Même à nos enfants en difficulté.

Mon projet de théâtre m'a permis de constater qu'avec des exigences élevées, on réussit à élever nos enfants à un très haut niveau.

Avant de terminer mon bac pour devenir enseignant, j'ai suivi une formation sommaire de comédien et j'ai fréquenté brièvement une école de théâtre en interprétation. Grâce à ces connaissances, j'ai pu exiger une qualité de jeu de mes élèves que je n'ai vue (et ne vois toujours pas) nulle part ailleurs en théâtre scolaire. Parfois, lors des répétitions, mes élèves s'écroulaient, se décourageaient. Et ils ne trouvaient pas ça drôle du tout, faire du théâtre. Je leur demandais de répéter et de répéter leur texte. Ils devaient articuler, parler fort, se positionner correctement sur scène, sentir et vivre leur personnage. Ils se rendaient compte assez rapidement que le théâtre est une discipline extrêmement exigeante lorsqu'elle se fait avec rigueur.

Or, c'est justement avec cette rigueur qu'on doit enseigner et évaluer nos enfants.

Apprendre déséquilibre. Apprendre insécurise, déstabilise. Apprendre fait vivre toutes sortes d'émotions. Et ça en vaut la peine. Mes élèves le réalisaient en voyant la réaction du public lors de la représentation, un public hautement impressionné par la qualité de la pièce. Ils avaient à ce moment la satisfaction du travail accompli et étaient extrêmement fiers. Mes exigences étaient effectivement élevées, mais l'élève avait fait un réel apprentissage du théâtre. Lorsqu'on enseigne le français, nos exigences devraient être tout aussi élevées. Oui, nos enfants échoueraient parfois. Oui, ils se décourageraient momentanément. Mais ils sauraient écrire. Ils sauraient aussi qu'il est important de faire un effort pour apprendre à écrire.

À mon avis, il est préférable de frapper quelques murs à l'école, lieu d'apprentissage et de déséquilibre protégé par excellence, plutôt qu'après, dans la vie, au travail. C'est une des missions fondamentales de l'école.

J'ai 37 ans. Je suis le produit de l'école publique. Plusieurs élèves de ma génération ont subi un laxisme sans précédent au niveau de l'écriture. J'ai quitté la cinquième secondaire en faisant beaucoup trop de fautes de français. Plus tard, quand j'ai pris la décision d'aller à l'université pour devenir enseignant, j'ai dû réapprendre mon français écrit presque intégralement parce que cette institution exigeait de moi la maîtrise de ma langue maternelle.

J'ai dû réapprendre à écrire de façon autodidacte. Ça a été extrêmement douloureux, extrêmement déstabilisant, et ça m'a demandé beaucoup de temps et d'énergie. Et, oui, j'ai pleuré. Que j'aurais aimé avoir pleuré plus tôt ! Que j'aurais aimé connaître ce niveau d'exigence plus tôt dans mes années d'études ! Que j'aurais voulu que mes enseignants m'aient fait couler en français écrit, même si j'étais très fort en lecture et à l'oral ! Que j'aurais apprécié qu'on exige de moi des textes sans fautes ! Oui, j'aurais, à ce moment-là, fourni l'effort nécessaire pour y arriver. Pourtant, rien de cela ne s'est produit. Et j'avançais en français, dans le système scolaire québécois, sans progresser dans ma propre langue écrite.

Malheureusement, l'histoire se répète aujourd'hui.

Si on exige peu de nos enfants ou, pire, si on se contente de ce qu'ils *répondent en partie* aux exigences du programme de français, on risque de vivre une situation encore plus lamentable d'ici quelques années.

LE SECONDAIRE

Luc Papineau

Le français au secondaire en bref…

- Le français est enseigné chaque année du secondaire.
- Le cours de français se divise en trois volets : écriture, lecture et oral.
- Avec la réforme, l'élève recevra *officiellement* 200 heures d'enseignement par année de la première à la troisième secondaire.
- Avec la réforme, l'élève recevra *officiellement* 150 heures d'enseignement par année en quatrième et cinquième secondaire.
- En quittant l'école secondaire, l'élève devrait *officiellement* avoir suivi 900 heures de cours de français.
- Pour l'élève de première secondaire, ce n'est que deux semaines avant la remise des notes de janvier 2006 que des enseignants de mon entourage ont su sur quelles bases évaluer leurs élèves.
- Pour l'élève de la deuxième secondaire, la situation est encore floue pour la présente année.
- Pour les autres années du secondaire, la proportion qu'occupe chaque volet varie selon les niveaux.
- Ainsi, l'écriture, la lecture et l'oral valent respectivement 40, 40 et 20 % de la note d'un élève de la troisième secondaire tandis que ces pourcentages passent à 50, 40 et 10 % en quatrième et cinquième secondaire.
- Ce sont les enseignants qui corrigent toutes les évaluations auxquelles l'élève est soumis, à l'exception de l'examen unique de production écrite de cinquième secondaire, qui est corrigé par le MELS.
- En cinquième secondaire, le ministère procède parfois à une modération des résultats obtenus par les élèves.
- La réussite du cours de français de cinquième secondaire est obligatoire pour l'obtention d'un diplôme d'études secondaires (DES).

Je suis enseignant de français au secondaire depuis 1992. Ce fut pour moi une réorientation professionnelle importante puisque j'ai quitté le journalisme, un métier ô combien exaltant, avec l'idée de transmettre un héritage aux plus jeunes : celui que m'avaient légué mes professeurs du primaire et du secondaire. Durant tout ce temps, j'ai presque exclusivement œuvré au sein de la même école, ce qui m'a permis de voir la dégradation de la qualité du français des élèves au sein d'un même milieu. Au fil des années, j'ai connu des moments de découragement, d'espoir, de frustration et d'impuissance. Aujourd'hui, bien que je demeure un professionnel soucieux de la qualité de mon travail, j'ai envie d'imiter certains de mes élèves et de décrocher à mon tour. Il me restera alors à déterminer si je serai un *drop in* ou un *drop out* de l'enseignement.

Pourquoi le jeune enseignant naïf, candide et vertueux que j'étais à 29 ans s'est-il transformé en un individu caustique et cynique ? Peut-être parce que je suis lucide ? Peut-être parce l'enseignement du français au Québec est devenu une réalité absurde et aliénante ? Peut-être parce que j'accepte mal de voir qu'on sacrifie l'avenir de notre jeunesse pour des raisons bêtement politiques et financières ?

Si, aujourd'hui, je fais le bilan de mon parcours dans le monde de l'éducation, c'est au nom de tous ces jeunes à qui notre système scolaire a menti, de tous ces jeunes diplômés qui se savent pauvres de culture, de langue et de savoir, de tous ces jeunes qui n'ont que la société de consommation comme réconfort et comme somnifère.

Le lecteur découvrira que cette partie consacrée au secondaire est plus longue que les deux autres de ce pamphlet. Comme auteurs, nous avions tenu, dès le départ, à respecter l'élan de chacun afin qu'il puisse trouver la forme qui lui convienne en fonction de son regard, de son histoire, de ses urgences. J'ai donc choisi d'explorer ce dossier au-delà du français, de ratisser plus large, ce qui m'a amené à observer d'étonnants tentacules qui ont tous un impact significatif sur l'enseignement du français en général.

1- *Une machine à produire des analphabètes*

À la fin de la cinquième secondaire, pour recevoir son diplôme, un élève est censé maîtriser la langue française, tant en ce qui a trait à la lecture, à l'écriture qu'à l'oral. Or, il est connu qu'il n'en est rien. Si, année après année, plus de 85 % des élèves de cinquième secondaire réussissent l'examen ministériel d'écriture, près de 40 % des employeurs, eux, se disent peu satisfaits des compétences en français des jeunes diplômés québécois[16]. Ne parlons pas des professeurs de cégep qui s'arrachent les cheveux devant l'ignorance de certains des étudiants qu'ils reçoivent dans leurs classes.

Après 11 ans sur les bancs d'école, après des centaines d'heures d'enseignement de la langue française, après un investissement moyen de 101 138 $ pour former un diplômé du secondaire[17], le constat est brutal : l'école québécoise, quoi qu'on en dise, est une machine à produire des analphabètes fonctionnels.

Prenons les phrases suivantes :

1- Quelque deux cents oiseaux bleu pâle ont même atterri dans la cour du professeur et ils ont tous quitté celle-ci pour un pays chaud.
2- Tous les souvenirs que mes sœurs ont oubliés revenaient lentement à leur mémoire lorsqu'elles ont revu leur vieille tante Rita.
3- On n'a pas une demi-heure à consacrer à parler de l'avenir de quelques Québécois.
4- Elles ont acheté les mêmes cadeaux et, quelques jours plus tard, elles les ont retournés elles-mêmes au magasin.

Ces phrases, qui totalisent 80 mots, ont été soumises de façon impromptue en dictée à 108 élèves de cinquième secondaire de mon école, une école qui se classait pourtant au premier rang de ma commission scolaire pour ce qui est des

[16] « Arrimer davantage l'école au monde du travail favorise la réussite », *La Presse*, mercredi 12 janvier 2005.

[17] « Halte aux tricheurs ! », *L'actualité*, 15 novembre 2005, page 48.

résultats à l'examen ministériel d'écriture de 2004-2005 avec 89,6 % des élèves qui l'avaient réussi[18]. Bien qu'elles fassent appel à quelques notions difficiles (pourtant vues en classe depuis des lustres), les élèves ont fait en moyenne une faute tous les 10,5 mots.

Comment peut-on accepter que de futurs cégépiens malmènent autant la langue d'ici ? Comment en est-on arrivé à un tel résultat ? Les raisons de cet échec pédagogique sont multiples et complexes, plus complexes encore quand on manque de véritable courage politique pour régler une situation qui dure depuis des années et qui conduit tout droit à notre appauvrissement culturel et économique.

[18] *Résultats aux épreuves uniques de juin 2004 et diplomation*, http://www.MELS.gouv.qc.ca/sanction/epreuv2004/Epreuve_2004.pdf, page 29, document consulté le 20 juin 2006.

2- Libérez-nous des « pédocrates » et des comptables !

Une des raisons qui expliquent l'échec lamentable de l'enseignement du français au secondaire est que le système d'éducation dans lequel les jeunes Québécois sont plongés est totalement désorganisé par toutes les réformes et les décisions qu'il a subies au cours des 15 dernières années. Dans les corridors des écoles, on ne parle plus du ministère de l'Éducation, mais bien de celui de l'Improvisation, du Loisir et du Sport : *Improvisation* pour ceux qui conçoivent les réformes pédagogiques, *Loisir* pour plusieurs élèves qui se la coulent douce et *Sport* pour les enseignants qui les subissent à la course…

Souvent peu connus du public, tous ces chambardements sont venus saper les efforts et l'énergie de ceux qui avaient à cœur de construire un système d'enseignement cohérent et stable dans lequel les élèves pourraient véritablement apprendre et aimer la langue française. Au lieu de laisser les enseignants enseigner, ce pour quoi ils sont formés, on a voulu leur montrer quoi enseigner et comment l'enseigner, comme s'ils étaient des incompétents notoires et comme si la vérité se trouvait uniquement dans les hautes sphères du ministère.

Et si l'enfer est pavé de bonnes intentions, on peut affirmer sans se tromper que les *pédocrates* du MELS (ces penseurs qui régissent l'enseignement dans nos écoles) et les gestionnaires des commissions scolaires avaient les meilleures intentions du monde. Voyons donc comment leurs actions et leurs inactions ont contribué à miner la qualité du français au secondaire.

Une pénurie inquiétante d'enseignants qualifiés

En 1997, pour des raisons strictement budgétaires, le gouvernement du Québec, sous la férule de Lucien Bouchard, poussait à la retraite plus de 8 514 enseignants d'expérience. Ceux qui partaient laissaient alors la place à des jeunes moins coûteux mais aussi à un important vide culturel et littéraire. Dans leur grande sagesse budgétaire, les mandarins de l'État québécois n'avaient pas prévu qu'autant d'enseignants quitteraient (« fuiraient » est le terme le plus juste quand je pense à certaines discussions que j'ai eues avec plusieurs retraités) le monde de l'éducation, laissant ce dernier aux prises avec un manque de professeurs qualifiés et compétents.

Pour bien illustrer cette saignée, on n'a qu'à mentionner qu'en 2003, même des concierges avaient dû faire de la suppléance dans certaines écoles de Montréal[19] ! Une telle chose était inimaginable quand j'ai commencé en enseignement tant les candidats étaient nombreux et les opportunités rares.

Si on lit quelque peu les journaux, on est impressionné par le manque de recul historique qui règne dans le système scolaire quant à ce phénomène. Ainsi, dans *La Presse* du 4 juillet 1997, on mentionnait que « le remplacement rapide des professeurs retraités [...] ne semble pas poser de problème. Les facultés d'éducation se disent pour leur part tout à fait capables de répondre à la demande[20]. » En avril 2004, aux dires de Johanne Méthot, agente de communication au MELS, il n'y avait pas de pénurie d'enseignants et on n'en appréhendait aucune[21]. En février 2005, selon Jean-Claude Bousquet, chef du service des études économiques et démographiques du MELS, le réseau de l'éducation devait subir une « pénurie ponctuelle » en 2005 et en 2006 pour ensuite connaître, dès 2007, une période de surplus de personnel[22]. Et voilà qu'en mars 2006, le gouvernement du Québec annonce son intention de réduire les conditions pour devenir enseignant jusqu'en 2010 en parlant, selon François Lefebvre, porte-parole du MELS, d'une « pénurie d'enseignants prévue dans plusieurs secteurs » et en présumant que « le problème [...] sera résorbé d'ici là[23] ». Qui dit vrai ? Les prédictions du

---

[19] « Pénurie aiguë d'enseignants à Montréal », *Le Devoir*, mercredi 5 février 2003, page A1.

[20] « 5 000 profs embauchés à l'automne », *La Presse*, vendredi 4 juillet 1997, page A7.

[21] « Éducation : pas de pénurie à l'horizon », *La Presse*, samedi 24 avril 2004, page 10.

[22] « Retour sur les bancs d'école », *La Presse*, samedi 26 février 2005, page A6.

[23] « Québec assouplit les exigences pour devenir professeur », *Le Devoir*, jeudi 16 mars 2006, page A1.

ministère valent-elles celles de la pétillante astrologue Jojo Savard ?

Cette situation catastrophique, créée de toutes pièces par des politiques gouvernementales hautement discutables, est loin de se régler parce que les décideurs politiques sont souvent inconséquents ou déconnectés de la réalité.

Par exemple, en septembre 2006, le gouvernement de Jean Charest a prolongé d'une heure et demie par semaine le temps d'enseignement au primaire et a instauré l'enseignement de l'anglais dès la première année bien qu'on manque déjà de spécialistes pour enseigner cette matière à d'autres niveaux.

Pis encore : comme si on voulait s'assurer de maintenir cette pénurie d'enseignants, le décret gouvernemental imposé aux enseignants dans le cadre du renouvellement des conventions collectives des employés du secteur public prévoit l'embauche progressive de 600 enseignants-orthopédagogues au primaire et de 500 enseignants-ressources à mi-temps au premier cycle du secondaire au cours des trois prochaines années. Où va-t-on les trouver ?

Par ailleurs, jusqu'en juin 2006, on avait rendu obligatoire pour enseigner au secondaire l'obtention d'un baccalauréat en enseignement, un baccalauréat dont la durée était passée de trois à quatre années. En plus de retarder d'un an l'arrivée de 2 000 nouveaux professeurs sur le marché du travail, en plus de les obliger à rester, à leurs frais, un an de plus sur les bancs de l'université, on avait également amené de nombreux jeunes à reconsidérer leur choix de formation universitaire. Si, jusque-là, un diplômé en lettres pouvait enseigner le français au secondaire en obtenant un certificat en pédagogie en une année, il devait dorénavant suivre une formation complète de quatre ans en enseignement du français au secondaire. Résultat : on ne se bousculait plus aux portes des facultés des sciences de l'éducation, d'autant plus que, contrairement à d'autres programmes de formation, les stages en éducation ne sont pas rémunérés. « Le nombre de candidats tend à diminuer, explique Jean-Pierre Charland, vice-doyen de la Faculté des sciences de l'éducation de l'Université de Montréal.

On sait que, tôt ou tard, on ne fera plus les contingents du ministère de l'Éducation[24]. »

Pour ajouter à cette situation préoccupante, la profession d'enseignant n'est plus attirante pour un jeune parce que celle-ci est « dévalorisée et souffre d'un grave déficit d'image », explique Marie-Éva de Villers, l'auteure du *Multidictionnaire de la langue française* et directrice de la qualité de la communication à l'École des hautes études commerciales (HEC) de Montréal[25].

Enfin, pour expliquer cette pénurie, il y a aussi le fait que le nombre d'enseignants ne se renouvelle pas aussi rapidement que prévu parce les jeunes diplômés universitaires qui font leurs premières armes dans ce métier décrochent presque au même rythme que les élèves auxquels ils enseignent. Ainsi, 20 % des jeunes quittent la profession après cinq années de pratique, entre autres à cause de leurs piètres conditions de travail et de leur rémunération. Par exemple, 94 % d'entre eux ont vécu au moins un incident avec violence depuis le début de leur carrière[26] tandis que les salaires qui leur sont versés sont les plus bas au Canada[27]. Restent donc souvent dans le réseau scolaire les jeunes enseignants les plus résistants (pas nécessairement les meilleurs pédagogues), les plus motivés ou ceux qui n'ont aucune autre possibilité de carrière. « Je suis tanné de me faire cracher dessus, de me faire lancer des objets, de me faire engueuler par des parents ayant beaucoup de problèmes personnels et de séparer des batailles dans la cour de récréation », raconte dans une lettre ouverte chargée d'émotions Samuel Huard, un futur ex-enseignant qui a déjà planifié une réorientation professionnelle[28].

---

[24] « Le quart des futurs instituteurs abandonnent avant de commencer », *La Presse*, dimanche 30 avril 2006.

[25] « Compétence et passion recherchées », *Le Devoir*, mardi 29 novembre 2005, page A9.

[26] « Les débutants font face à beaucoup de violence à l'école », *La Presse*, dimanche 30 avril 2006.

[27] « La pénurie de profs est bien réelle », *Le Devoir*, mercredi 5 octobre 2005.

[28] « Pénurie d'enseignants : c'est la faute des gouvernements », *La Presse*, vendredi 7 mars 2006.

Et il ne faut pas croire que seuls les anciens et les jeunes quittent le bateau ivre de l'éducation. Autour de moi, plusieurs enseignants qui ont pourtant plus de 15 années d'ancienneté songent à réorienter leur carrière parce qu'ils sont épuisés et démotivés : la tâche s'est alourdie avec le temps, les réformes qu'ils n'ont pas souhaitées n'en finissent plus, la taille des groupes frise le non-sens, les élèves en difficulté intégrés dans leurs classes sont de plus en plus nombreux et leur métier est continuellement dévalorisé par l'État. Il n'est pas étonnant que, dans un tel contexte, le nombre de cas d'épuisement professionnel soit à la hausse, comme l'a constaté le service des ressources humaines de la Commission scolaire de Montréal (CSDM)[29].

Tous ces départs et toute cette détresse sont des signes certains qu'il y a quelque chose qui ne fonctionne pas dans le réseau scolaire québécois, mais peu de gens écoutent ceux qui partent ou qui souffrent. N'a-t-on pas assez martelé dans les médias que les enseignants étaient des privilégiés qui recevaient un gros salaire et qui bénéficiaient de deux mois de vacances ? Même mon syndicat semble parfois plus intéressé à dénoncer la mondialisation qu'à se pencher sur le fait que la profession se meurt à petit feu. Si plus personne ne veut être enseignant, il doit bien y avoir une raison, non ? Parmi les *exilés budgétaires* de mon école, quelques-uns sont revenus enseigner à cause du manque de personnel. Mais ils ont souvent vite fait de retourner à la retraite en s'apercevant, avec le recul, que les conditions de travail dans l'enseignement avaient continué à se dégrader.

À cause de cette pénurie de personnel en éducation, de cette dévalorisation de la profession, on a laissé un peu n'importe qui devenir enseignant depuis quelques années, accordant un nombre record de plus de 1 054 « tolérances d'engagement » l'année dernière seulement[30], permettant par exemple à un ingénieur d'enseigner les mathématiques même s'il n'a aucune

---

[29] « Pénurie aiguë d'enseignants à Montréal », *Le Devoir*, mercredi 5 février 2003, page A1.

[30] « Encore plus de profs sans permis », *La Presse*, vendredi 19 mai 2005, page A1.

formation pédagogique. Et il n'est pas dit que cette forme de relâchement se résorbera avec les prochaines politiques du MELS qui permettront aux bacheliers spécialisés dans une discipline et aux étudiants n'ayant pas terminé leur formation universitaire en enseignement de diriger malgré tout une classe au primaire ou au secondaire[31]. Comprenne qui pourra, mais on avait expressément prolongé la période de formation des futurs maîtres pour leur permettre d'effectuer de plus longs stages en milieu scolaire et de développer leurs habiletés pédagogiques. Pénurie oblige, voilà qu'on réduit les préalables exigés des futurs enseignants québécois au moment même où divers reportages vantent les vertus du système scolaire finlandais, système où les enseignants doivent au minimum posséder une maîtrise pour travailler dans une école[32].

Quoi qu'il en soit, actuellement, à cause de cette pénurie d'enseignants, une école engage presque automatiquement un candidat si elle en trouve un ! À la CSDM, près des deux tiers des demandeurs sont retenus pour embauche[33]. Comme les conventions collectives des enseignants sont plus blindées que les murs de la réserve fédérale américaine de Fort Knox et que les directions d'école n'ont pas toujours le temps de superviser adéquatement le nouveau personnel, les incompétents survivront et séviront longtemps dans notre système d'éducation. Et surtout, il ne faut pas écouter les ténors syndicaux qui affirment que tous les enseignants se valent : ils ont là une façon de protéger leurs membres qui discrédite parfois l'ensemble de la profession.

Sans généraliser, plusieurs des nouveaux enseignants de français d'aujourd'hui ne possèdent pas un bagage suffisant pour enseigner une langue, on le verra, qu'ils maîtrisent mal et dont ils ne connaissent pas les œuvres majeures. Mais ils sont malgré tout embauchés parce que les listes de rappel sont

---

[31] « Québec assouplit les exigences pour devenir professeur », *Le Devoir*, jeudi 16 mars 2006, page A1.

[32] « Pas assez compétents », *Le Journal de Montréal*, jeudi 9 mars 2006, page 7.

[33] « Pénurie aiguë d'enseignants à Montréal », *Le Devoir*, mercredi 5 février 2003, page A1.

épuisées. Quand un jeune collègue se vante de n'avoir jamais lu un roman de sa vie, on sent qu'il y a quelque chose qui ne tourne pas rond dans l'éducation.

En 2003, alors que le Parti québécois tentait de se rebâtir une crédibilité auprès de l'électorat, il était ironique de constater que l'ex-ministre de l'Éducation François Legault s'excusait des impacts négatifs de la mise à la retraite quasi forcée des infirmières sur le réseau de la santé. C'était comme si personne de cette formation politique ne s'était aperçu des ravages qu'une mesure semblable avait causés dans le monde de l'éducation. L'année dernière, à l'émission *Larocque-Auger*, l'ex-premier ministre Lucien Bouchard, qui s'est affublé du titre ronflant et pompeux de « Québécois lucide », regrettait cette opération de mise à la retraite des infirmières, mais ne soufflait pas un mot de celle des enseignants. Il faut dire qu'on ne peut pas mourir des suites d'une pénurie de professeurs de français...

Swinguez votre compagnie !

Un autre des ingrédients qui ont causé l'échec de l'enseignement du français au Québec se situe au niveau local. Ainsi, les fusions des commissions scolaires (les CS, pour les intimes) en 1997-1998 et la création des écoles de quartier ont entraîné d'importants mouvements chez le personnel enseignant.

Il faut se rappeler que les fusions des commissions scolaires répondaient alors à une volonté de déconfessionnaliser les écoles, mais on espérait aussi générer des économies en regroupant différents services au sein d'un seul organisme. Rien ne prouve qu'on ait véritablement économisé des sous dans tout ce remous administratif. Certaines études tendent à démontrer qu'au-delà d'une certaine taille, une telle réorganisation n'entraîne finalement aucune économie. Dans certains cas, ces commissions scolaires sont devenues, pendant un temps, presque ingouvernables parce que les commissaires, issus de régions différentes, passaient leur temps à se livrer des joutes politiques territoriales au lieu de s'occuper de la réussite des élèves dont ils avaient pourtant la responsabilité.

La création des écoles de quartier, quant à elle, est survenue, entre autres, dans certaines banlieues montréalaises où les établissements scolaires secondaires fonctionnaient par cycle. À l'époque, les élèves faisaient leur première et leur deuxième secondaire dans une école de premier cycle et terminaient leurs études dans une autre de deuxième cycle. Ils devaient généralement être transportés par autobus scolaire parce que la distance qu'ils devaient parcourir à pied était trop grande. Aussi, pour renforcer le sentiment d'appartenance des élèves, on a cru bon de s'assurer qu'ils effectuent toutes leurs études secondaires au sein d'une même école qui serait située, si possible, dans leur quartier. Là encore, on comptait économiser de l'argent en réduisant les frais reliés au transport. Ironiquement, avec la création des programmes d'études particuliers, qui sont des programmes régionaux et qui ne se donnent que dans certaines écoles précises, le nombre d'élèves transportés par autobus scolaire n'a pas changé de façon spectaculaire. Les économies prévues, une fois de plus, n'étaient finalement pas au rendez-vous.

Toutes ces volontés, assurément plus politiques et budgétaires que pédagogiques, ont exigé la réaffectation des enseignants à de nouveaux postes. Parce que la clientèle d'une école était dorénavant répartie sur les cinq niveaux du secondaire, ces postes comportaient souvent plusieurs préparations de cours, ce qui s'est évidemment traduit par un alourdissement de la tâche.

Dans certaines commissions scolaires, on se souvient encore de ces réunions où chacun a été appelé, selon son ancienneté, à se choisir un nouveau lieu de travail. Des équipes d'enseignants de français ont été brisées, de véritables collaborations pédagogiques ont dû se vivre à des dizaines de kilomètres de distance. Dans plusieurs écoles, de jeunes enseignants étaient laissés à eux-mêmes parce que les plus anciens s'étaient regroupés au sein d'une même institution. Bref, dans certains départements de français, on repartait à zéro.

Comble de malheur, pour des raisons purement économiques, les fusions entraînaient aussi, dans certaines CS, l'abolition des postes des conseillers pédagogiques, dont ceux en français. De mauvaises langues bien intentionnées ont alors constaté que, si on coupait ces personnes-ressources essentielles en ces périodes de tourmente, on créait néanmoins des postes pour *tabletter* des cadres haut placés, jeu de pouvoir oblige.

L'apartheid scolaire

Une autre raison expliquant la piètre qualité des élèves en français est, elle aussi, passée inaperçue : il s'agit de la création à outrance de programmes d'études particuliers. En 1998, à l'époque du ministre François Legault, l'école publique devait faire concurrence à l'école privée. On se lançait alors dans une véritable offensive de séduction : programme d'éducation internationale (PEI), programme de sport-études, etc. N'entrait cependant pas qui voulait dans ces concentrations de hauts savoirs. Pour y être admis, l'élève devait réussir certains tests.

Après quelques années, les conséquences de cette surenchère du réseau public sont maintenant assez claires. Oui, on peut croire qu'on a attiré dans les écoles publiques des élèves qui, autrement, seraient allés à l'école privée. Oui, on peut croire qu'on a offert à des élèves privilégiés un environnement dynamique et stimulant. Oui, on peut croire qu'on a donné aux parents qui ne voulaient pas payer ou qui n'en avaient pas les moyens la possibilité d'inscrire leurs enfants à des programmes enrichis. Cependant, malgré sa volonté claire de rivaliser avec l'école privée, il n'en demeure pas moins que, ironiquement, l'école publique est plus impopulaire que jamais : « Entre 1999 et 2004, la fréquentation des écoles primaires et secondaires privées a augmenté de 14 % alors que le réseau public a vu ses effectifs réduits de 4 %[34]. »

Toute cette surenchère a eu des impacts négatifs sur le réseau scolaire public. Ainsi, afin de présenter un caractère distinct, certains programmes particuliers ont parfois réduit de 25 % le temps consacré à l'enseignement du français pour augmenter

[34] « Les écoles privées ont la cote », *Le Devoir*, samedi 24 septembre 2005, page A3.

celui relié, par exemple, à des pratiques sportives. Et même avec le renouveau pédagogique au secondaire, qui affirme accorder plus d'importance aux matières de base, il sera toujours aussi facile de couper dans les cours de français. Dans une prise de position datée du 22 mars 2005, l'Association québécoise des professeurs de français (AQPF) mentionne que « les articles 22 et 23 de la proposition du nouveau régime pédagogique indiquent que le temps alloué aux matières obligatoires, dont le français, n'est donné qu'à titre indicatif » et qu'en « ne proposant qu'un nombre d'heures à titre indicatif plutôt que prescriptif, la décision du MELS perd toute sa valeur[35] ».

De plus, loin d'avoir un effet stimulant sur l'ensemble du réseau public, la sélection des élèves et la création de programmes particuliers ont généralement entraîné un nivellement par le bas de l'enseignement du français au secteur régulier. Plusieurs classes de ce secteur ne sont aujourd'hui que des ghettos d'élèves souvent faibles et dénigrés par leurs confrères d'école, des ghettos où l'enseignement est inévitablement à la baisse, des ghettos où un élève qui sait lire et écrire correctement s'ennuie à s'en décrocher la mâchoire pendant que l'enseignant débordé ne sait plus où donner de la tête devant les graves difficultés langagières de jeunes démotivés.

Pis encore, c'est généralement dans ces groupes que sont « garrochés », apartheid scolaire oblige, les élèves en difficulté. On n'enverra pas les élèves « poqués » dans les programmes enrichis, tout de même ! Et si j'emploie le terme *garrochés*, c'est qu'on ne peut vraiment pas parler d'intégration quand on sait qu'un grand nombre d'élèves du secteur régulier sont déjà en difficulté. En fait, le terme *désintégration* conviendrait mieux pour parler de la dynamique de ces groupes. Qui plus est, avec l'implantation parfois improvisée de la réforme au primaire qui produira un nombre important d'élèves ne maîtrisant pas les connaissances de base, il n'y a aucun doute dans mon esprit que cette situation ira en s'aggravant.

[35] *Avis sur la proposition du nouveau Régime pédagogique*, http://www.aqpf.qc.ca/accueil/prise-de-position.htm, page consultée le 20 juin 2006.

Devant une telle situation, on comprendra que les enseignants de français du secteur régulier au secondaire soient dépassés par la lourdeur de leur tâche. À cause du temps consacré à l'enseignement de leur matière, ce sont eux qui voient les élèves presque chaque jour de classe. Ils doivent donc régulièrement être des psychologues, des orthopédagogues, des orienteurs scolaires, des sexologues, des travailleurs sociaux et parfois même des infirmiers ! Ce que l'on remarque aussi, c'est que les enseignants de français des programmes particuliers, bien qu'ils œuvrent auprès d'élèves généralement plus doués, sont épuisés par les exigences de ces profils scolaires : encadrement plus rigoureux, participation à davantage d'activités parascolaires, etc. En somme, dans les deux cas, les enseignants sont fatigués professionnellement et beaucoup moins performants.

Il n'est donc pas étonnant que l'école publique se vide lentement mais sûrement de plusieurs de ses bons élèves qui ne sont pas assez forts pour suivre un programme enrichi mais dont les parents sont néanmoins assez fortunés pour leur payer un meilleur milieu dans une école privée. Et comme l'écrivait Katia Gagnon dans son texte « L'usine à cancres » : « Le cercle vicieux est créé. Plus l'école publique s'affaiblit, plus les parents choisissent le privé pour sa réputation. [...] La vraie formation pour les bons, l'éducation à rabais pour les autres[36]. » L'école privée québécoise, l'une des seules à recevoir des subventions gouvernementales au Canada, est l'exemple parfait des partenariats public-privé et a le vent dans les voiles... Alors qu'on craint un réseau de la santé à deux vitesses, l'éducation vit cet état de fait depuis longtemps déjà.

Finalement, la compétition avec le secteur privé étant ce qu'elle est, certaines directions d'école publique s'assurent que les enseignants les plus compétents soient rattachés aux programmes particuliers parce que les parents des élèves qui y sont inscrits sont souvent plus exigeants. On peut alors paraphraser George Orwell en affirmant que, dans le système scolaire public, « tous les élèves sont égaux, mais certains sont plus égaux que d'autres ».

---

[36] « L'usine à cancres », *La Presse*, 21 mars 2005, page A14.

Félicitations pour votre beau programme !

La première réforme du programme de l'enseignement du français que j'ai connue est survenue en 1995. Elle constitue un tremblement de terre dont l'effet n'a pas fini de se faire sentir. Implantée à la fois au primaire et au secondaire, elle constitue l'exemple parfait de gestion improvisée qu'il convient de ne pas faire en éducation. Par ailleurs, elle annonçait de façon éclatante la façon dont le renouveau pédagogique serait introduit dans les écoles québécoises quelques années plus tard.

Tout d'abord, sur quelles bases solides reposait ce programme ? Invité par le MELS à participer à un atelier portant sur l'implantation de ce dernier, je me suis permis de poser quelques questions auxquelles j'attends toujours des réponses. Où ce programme a-t-il été testé ? Durant combien de temps ? Auprès de combien d'élèves ? Quel budget a-t-on consacré à cette implantation ? Quels sont les indicateurs qui ont été utilisés pour valider celle-ci ? Bien évidemment, on comprendra que je n'ai plus jamais été invité à de telles réunions.

Ce que j'ai cependant constaté à l'époque, c'est qu'il semblait exister au MELS une volonté politique aveugle de foncer tant on était convaincus de ce que l'on avançait. On se rapprochait alors de la pensée dogmatique : crois ou meurs ! Tous les enseignants qui s'opposaient à cette réforme étaient ni plus ni moins considérés comme des imbéciles heureux ou des passéistes.

Un autre aspect qui explique l'échec de cette réforme du programme de français au secondaire est le manque de formation donnée aux enseignants. Par exemple, dans ma commission scolaire, nous n'avons eu que deux journées pédagogiques pour nous approprier une refonte majeure du code grammatical. Il faut savoir que cette réforme ne consistait pas seulement à changer la terminologie de la grammaire, mais aussi à repenser la façon de voir celle-ci, de la travailler. Certains collègues m'ont confié qu'ils n'ont jamais eu le temps de se familiariser avec un code complexe et hermétique où ils ne trouvent toujours pas leurs repères pédagogiques. Comment peuvent-ils être des enseignants compétents quand on ne leur a donné ni les moyens ni les outils pour maîtriser et pour vulgariser la matière qu'ils ont à transmettre? Certains ont fini par apprendre *sur le tas*, d'autres se sentent toujours aussi peu confiants.

Et cette improvisation s'est aussi vécue dans tout le Québec. Ainsi, dans un article du journal *Le Devoir*, on remarque que de nombreux enseignants se plaignent que le temps de formation qu'ils ont eu pour apprendre cette nouvelle grammaire était trop court, allant de quelques heures à deux jours. Plus révélateur encore, les conceptrices de ce programme admettent elles-mêmes que le ministère n'a pas donné aux enseignants les moyens d'être compétents : « Au moment de faire le programme, nous avions demandé un engagement moral du MELS à l'effet que tous les enseignants reçoivent un document pour comprendre la pertinence de la nouvelle grammaire, en plus d'une formation d'au moins deux jours par an, pendant cinq ans[37]. »

On l'oublie souvent, mais les parents ont, eux aussi, été dépassés à la suite de cette réforme de l'enseignement du français. Ils n'ont reçu ni information ni appui. Comment peut-on aider son enfant dans ses devoirs lorsque ce qui s'appelait simplement un complément circonstanciel est devenu aujourd'hui un GFCP, soit un *groupe facultatif complément de phrase?* Faut-il s'étonner de la popularité récente des cours privés après la classe? Évidemment, les élèves dont les parents sont mieux nantis sont privilégiés.

Quand on parle d'improvisation, les faits ne mentent pas. La terminologie du ministère elle-même ne correspond pas à celle des dictionnaires que consultent régulièrement les élèves en classe. Selon *Le Petit Robert 2007*, *Le Petit Larousse 2007* et le *Multidictionnaire de la langue française*, le mot « plusieurs » est un adjectif indéfini alors qu'il s'agit d'un déterminant quantitatif pour le MELS. Un peu de cohérence dans la précipitation, s'il vous plaît!

De plus, il y a lieu de souligner le caractère parfois artificiel de la progression des apprentissages en grammaire. Par exemple,

---

[37] « Un nombre important d'enseignants boudent la nouvelle grammaire », *Le Devoir*, samedi 28 septembre 2002, page B10.

pourquoi faut-il attendre la quatrième secondaire pour enseigner l'accord de l'adverbe *tout* ou la cinquième pour l'accord des noms composés ? On remarque également que les programmes d'enseignement de la grammaire au secondaire semblent prendre pour acquis que l'enfant n'a rien appris au primaire ou encore l'année précédente. La première secondaire est par conséquent une révision des années antérieures, la deuxième secondaire, une révision de la première et ainsi de suite. Bref, on en vient à tellement radoter en classe que certains élèves n'écoutent pas parce qu'ils sont convaincus qu'ils reverront la même matière l'année suivante.

Ajoutons à tous ces éléments que cette réforme s'est déroulée alors que le système d'éducation était en proie à d'importants mouvements de personnel et à des coupures budgétaires plus que radicales. Adieu concertation ! Personne ne se connaissait, personne ne parlait la même grammaire. Les équipes d'enseignants de français avaient tout des personnages de la série télévisée *Les Joyeux Naufragés*, la bonne humeur en moins. Certains, le gouvernement aidant, ont alors pris une retraite anticipée plutôt que d'affronter cette réforme improvisée. D'autres se sont demandé pourquoi il leur fallait revoir tout leur enseignement immédiatement puisque, de toute façon, la grande réforme de l'éducation – prévue pour le secondaire en septembre 2003 – allait exiger qu'ils changent complètement leur façon d'enseigner. Ces *attentistes* ont préféré ne pas engager des sommes importantes pour l'achat de manuels scolaires, au grand désarroi des maisons d'édition qui comptaient sur ce pactole. Ils se sont plutôt contentés d'acheter du temps et de prier pour que le gros bon sens reprenne le dessus… en vain.

À la même époque, j'ai collaboré à la conception d'une grammaire pour une maison d'édition. J'ai pu remarquer que celle-ci allait de l'avant avec la création de matériel destiné aux écoles alors que le programme de français n'était pas encore approuvé par le MELS. Bénéficiait-elle alors, tout comme certaines de ses consœurs, d'entrées privilégiées auprès du ministère ? Le constat que j'ai tiré de cette expérience est que l'enseignant passif ou critique est souvent un acteur secondaire dans l'implantation d'une réforme pédagogique tandis que des professeurs d'université, souvent déconnectés de la réalité des classes, certains enseignants déjà très enthousiastes quant au changement à venir et les éditeurs de matériel scolaire en sont les véritables artisans.

Aujourd'hui, les impacts de cette réforme improvisée de l'enseignement du français se font cruellement sentir. Bien des élèves maîtrisent mal la nouvelle grammaire qui ne leur est pas toujours enseignée de façon cohérente et sont confus quant à la classe et au rôle des mots qu'ils emploient. Plusieurs sont tout simplement incapables de distinguer un nom d'un adverbe, par exemple. Comment peuvent-ils apprécier la profondeur d'un texte quand ils ne comprennent tout simplement pas la fonction que jouent certains mots? Comment peuvent-ils écrire correctement une simple phrase s'ils ne saisissent pas la mécanique et les éléments de la langue française? Plus que jamais, dans mes classes, des élèves me posent des questions impensables il y a 10 ans : « Ils sont *vraiments* beaux. *Vraiment* va prendre un *s* parce que c'est *ils* qui sont *vraiments* beaux, hein? » Ou encore : « Les écoles *secondaires*? *Secondaire,* ça va-*tu* prendre un *s*? » De plus, si on a complètement changé le programme de français en espérant augmenter la réussite des élèves, on a malheureusement conservé le même mode d'évaluation laxiste qui permet, on le verra, à un élève faible d'être promu à un niveau supérieur d'éducation.

Toute cette situation fait qu'en tant qu'enseignant de cinquième secondaire, je suis aujourd'hui contraint – examen de fin d'année oblige – de m'assurer que mes élèves maîtrisent des notions qui sont pourtant de niveau primaire alors que je devrais davantage faire porter mon enseignement sur des notions plus complexes et plus intéressantes. « J'enseigne pour l'examen », comme on dit, et j'ai véritablement l'impression d'être un pompier qui s'épuise à éteindre des feux plutôt qu'un éducateur qui éveille l'imaginaire de ses élèves à la beauté et à la grandeur de la langue, de la littérature et de la francophonie. Et il n'y a rien de plus démotivant pour un adolescent que de réviser les déterminants alors qu'à cet âge, il serait à même d'apprécier pleinement des œuvres poignantes comme *Un simple soldat* de Marcel Dubé.

Malheureusement, pour tenter de combler ces lacunes qui auraient dû être réglées il y a bien des années, plusieurs enseignants en sont venus, tout comme moi, à se concentrer sur l'enseignement de la grammaire et de l'écriture au détriment de la lecture et de l'expression orale. Résultat : parce que la majeure partie du temps de classe est consacrée au code grammatical, certains élèves n'arrivent pas à dégager la pensée de l'auteur dans un texte pourtant simple à comprendre et ont de la difficulté à formuler, tant à l'oral qu'à l'écrit, une pensée claire et ordonnée. Il est hélas impossible de tout revoir en une seule année.

Paradoxalement, afin d'amener un élève à écrire un texte, les enseignants de français doivent souvent perdre un temps fou pour créer des mises en situation dites significatives ou des projets stimulants dont il n'est pas dupe. Alors que cette tâche d'écriture est supposée être un prétexte à la maîtrise de la langue, dans les faits, on s'ingénie à créer des mises en situation insignifiantes et à enseigner des contenus *procéduriels* ou notionnels au détriment du code grammatical lui-même. Si les élèves savent parfois ce qu'est un conte africain, ils n'arrivent pas plus à distinguer un verbe à l'infinitif d'un participe passé. S'ils savent ce qu'est un schéma narratif, ils demeurent toutefois incapables d'orthographier cette expression correctement.

Mais il n'y a pas lieu de paniquer, diront les plus cyniques, car les grilles de correction que doivent appliquer les enseignants pour évaluer le texte d'un élève sont conçues de telle sorte, on le verra, qu'une copie qui répond aux attentes quant à la forme et au contenu méritera au moins la note de passage même si ce dernier ne sait pas écrire correctement.

Une chose est certaine cependant : malgré cette réforme de l'enseignement du français, les élèves ne maîtrisent pas mieux leur langue maternelle que leurs homologues d'il y a 10 ans, comme me le confiaient deux responsables ministériels de la correction de l'examen de production écrite de cinquième secondaire.

Qu'on change la terminologie, qu'on change la méthode, sans rigueur et sans appui financier et technique, toute réforme en éducation est vouée inévitablement à l'échec. Il n'y a que les *pédocrates* du ministère et les idéalistes pour penser le contraire.

Un peu de littérature et de théâtre, s'il vous plaît !

La place de la littérature au secondaire est bien petite. Tout d'abord, les élèves qui proviennent du primaire ne sont plus véritablement prêts à affronter des textes littéraires relativement complexes. Ensuite, l'enseignement de discours courants gruge un précieux temps de lecture. Par conséquent, la culture littéraire générale cède souvent la place à des pratiques davantage utilitaires, comme si apprécier *Cyrano de Bergerac* était un luxe qu'on ne pouvait se permettre.

Par ailleurs, on réduit bien souvent les discours littéraires (poésie, nouvelle, roman) à des catégories opératoires qui s'apparentent davantage à des recettes toutes faites qu'à une véritable création. Par exemple, on doit retrouver des éléments merveilleux dans un conte, mais rien de fantastique ou de propre à la science-fiction. Selon cette définition, le film *Le Martien de Noël* ne peut donc pas être apparenté à un conte puisqu'on y retrouve un extraterrestre…

Ensuite, les écoles ne disposent pas toutes d'un budget adéquat pour acheter des séries de romans qui pourront être utilisés en classe ou apportés à la maison. Comme il est interdit de demander aux élèves d'acheter un roman pour des fins d'enseignement, l'enseignant doit alors souvent se contenter de les inviter à lire un roman de leur choix (les plus futés utilisent le même que l'année précédente) et de leur demander d'en faire une présentation orale, par exemple.

La qualité de la formation de certains enseignants constitue elle aussi un frein à l'enseignement de la littérature au secondaire. Parfois, leur plus récente formation littéraire remonte au cégep. Dans certains cas, un enseignant de cinquième secondaire n'a que trois cours de littérature de 45 heures de plus que ses étudiants.

Enfin, on ne peut que souligner à quel point il est difficile d'enseigner la littérature québécoise au secondaire. Tout d'abord, les coûts des romans d'ici sont généralement plus élevés que ceux de nos cousins français. Également, la notion de droits d'auteur au Québec empêche en partie l'utilisation de photocopies d'œuvres québécoises pourtant souvent subventionnées par l'État. Impossible aussi d'acheter des romans dans un grand magasin où les prix sont généralement moins élevés : la loi oblige les écoles à traiter avec des librairies agréées. Au Québec, l'éducation est souvent une vache à lait pour les artistes, les maisons d'édition et les librairies.

En ce qui concerne le théâtre, cette industrie a bénéficié au cours des années de l'appui des enseignants de français, ceux-ci y accompagnant leurs élèves de façon parfois bénévole. On peut se rappeler les cris d'indignation des artisans de la scène culturelle quand les *méchants* enseignants syndiqués ont décidé de boycotter les activités parascolaires lors du dernier conflit de travail les opposant au gouvernement. Que Pierre Curzi, le président de l'Union des artistes, se prépare à déchirer sa chemise à nouveau puisque, dans le cadre de sa prochaine politique des frais exigés aux parents, le gouvernement, celui-là même qui accusait les enseignants de priver les jeunes de l'accès à la culture, entend interdire aux écoles de demander aux parents de payer pour toute sortie parascolaire qui serait obligatoire. Ce sera aux écoles de financer, à même leur budget, le coût des activités. Dans certains cas, on a déjà indiqué aux enseignants qu'il était inutile de préparer un projet de sortie au théâtre cette année. Et je suis prêt à parier qu'on ne verra pas beaucoup de parents manifester contre cette décision.

Les *frogs* et le *nénufar* improvisé

Que le lecteur offusqué me pardonne le terme *frog* et intéressons-nous à la manière dont le MELS gère actuellement le dossier de la réforme de l'orthographe.

Rappelons tout d'abord que la réforme de l'orthographe a cours dans les pays francophones et a pour objectif de simplifier l'apprentissage de la langue française afin qu'elle soit mieux maîtrisée par tous et aussi qu'elle soit plus accessible aux allophones. Les *Rectifications de l'orthographe*, publiées au *Journal officiel de la République française* de décembre 1990, touchent l'orthographe d'usage de quelque 2000 mots alors que l'orthographe grammaticale demeure à peu près inchangée. Pourtant, ces rectifications ne sont toujours pas appliquées par le ministère de l'Éducation nationale de France et elles ne sont que partiellement retenues dans des pays comme la Suisse et la Belgique[38].

On peut se questionner sur la portée de ces changements quand on sait que ce sont davantage les règles de grammaire que l'orthographe d'usage qui causent bien des maux de tête aux jeunes Québécois. Qui plus est, l'Allemagne, qui a tenté une réforme similaire, n'a pas atteint les objectifs souhaités : « Après cinq années d'essai dans la presse écrite et six années dans les établissements scolaires, la réforme n'a apporté ni allégement ni simplification pour les professionnels comme pour les élèves. Au contraire : l'incertitude grandit, la confusion entre ancienne et nouvelle orthographe est de règle. Ceux qui écrivaient correctement avant la réforme font aujourd'hui des fautes. Les parents ont une autre orthographe que leurs enfants et les enseignants sont profondément désorientés[39]. » La situation était devenue à ce point chaotique qu'on a récemment décidé de « réformer » la réforme[40].

Pour sa part, Lorraine Pagé, membre du Conseil supérieur de la langue française (CSLF), est convaincue de la valeur des modifications apportées à l'orthographe. Dans une lettre au journal *Le Devoir*, elle affirme que « les difficultés artificielles du français écrit constituent en effet un écran à la maîtrise véritable de la langue écrite par le plus grand nombre et qu'une rectification de l'orthographe favoriserait le développement des compétences en lecture et en structuration de la langue écrite

[38] « La réforme de l'orthographe : Simplification ? Prudence ! », *Le Soleil*, jeudi 9 septembre 2004, page A13.

[39] *Ibid.*

[40] « Trêve dans la guerre de l'orthographe allemande », *Le Devoir*, vendredi 17 mars 2006, page B4.

et de la pensée[41] ». En quoi écrire *nénuphar* en remplaçant *ph* par *f* aura-t-il un impact positif sur la lecture et la structure de la pensée ?

Par ailleurs, si Mme Pagé retournait à l'école et lisait quelques rédactions de finissants du secondaire, elle constaterait que les élèves font beaucoup plus d'erreurs d'accord grammatical que d'orthographe d'usage. S'ils utilisent un dictionnaire, comme cela leur est permis durant les examens, ils ne savent cependant pas accorder les verbes, les noms, les adjectifs !

L'ex-présidente de la CEQ (Centrale des enseignantes et enseignants du Québec) cite en exemple la réforme du système métrique pour indiquer que les rectifications de l'orthographe sont possibles et viables. Qu'elle interroge mes élèves, elle sera surprise : ils se mesurent en pieds et se pèsent en livres, ils se baignent dans une piscine où le thermomètre affiche 75 degrés Fahrenheit alors qu'il fait 21 degrés Celsius hors de l'eau !

Quoi qu'il en soit, l'Office québécois de la langue française (OQLF) confirmait prudemment que « ni les graphies traditionnelles ni les nouvelles graphies proposées [par la réforme de l'orthographe] ne doivent être considérées comme fautives[42] ». Au Québec, on peut donc écrire indistinctement *oignon* ou *ognon*. Pour Paul Roux, chroniqueur linguistique au journal *La Presse*, cet « appui timide de l'OQLF aux rectifications n'en a pas moins semé la confusion, car beaucoup de Québécois croient dur comme fer que les recommandations de cet organisme ont force de loi. » Selon lui, si on avait voulu véritablement simplifier le français, « c'est à sa grammaire particulièrement complexe qu'il aurait fallu s'attaquer[43]. »

Au Québec, royaume de l'improvisation scolaire et pédagogique, rien d'étonnant à ce que de nombreux enseignants de français du primaire et du secondaire aient appris ces

[41] « Continuer d'en débattre ou les mettre en œuvre ? », *Le Devoir*, samedi 15 et dimanche 16 octobre 2005, page B6.

[42] *Questions fréquentes sur les rectifications de l'orthographe*, http://66.46.185.79/bdl/gabarit_bdl.asp?Th=3&id=3275 , page consultée le 20 juin 2006.

[43] « Les rectifications de l'orthographe (suite sans fin) », *La Presse*, dimanche 14 novembre 2004.

changements par les journaux. En Suisse et en Belgique, au moins, les professeurs ont été informés de ces rectifications[44].

Même si, pour le ministre de l'Éducation Jean-Marc Fournier, il n'est pas question pour l'instant d'imposer la nouvelle orthographe dans les écoles québécoises, plusieurs universités, quant à elles, ont décidé d'enseigner cette dernière à tous les futurs enseignants[45]. Un professeur au secondaire pourrait donc accueillir un stagiaire plus au fait de la nouvelle orthographe qu'il ne l'est lui-même! Pareille situation est arrivée à une de mes collègues, dynamique et rigoureuse, qui ne savait plus quoi penser de cette forme de remise en question de ses compétences. Bref, actuellement, ceux qui sont souvent considérés comme les gardiens de la langue sont paradoxalement peu et mal informés quant aux modifications qu'on entend apporter à celle-ci.

Pis encore, les correcteurs du MELS tolèrent les modifications orthographiques dans le cas des épreuves d'écriture de cinquième secondaire et du collégial[46] tandis que les enseignants, eux, ne savent toujours pas quoi faire concrètement dans leurs classes. Doivent-ils pénaliser un élève qui traitera du *renouvèlement* de l'orthographe dans son texte?

À ma connaissance, aucune formation portant sur la réforme de l'orthographe n'a été offerte à ces professionnels de la langue dans les commissions scolaires, aucun avis officiel du MELS n'a informé les enseignants à savoir s'ils doivent pénaliser ou non les élèves utilisant les graphies rectifiées.

« S'ils choisissent d'enseigner la nouvelle orthographe, ils [les enseignants] le font de leur propre gré », précise-t-on sur le site Internet de l'OQLF[47].

---

[44] « La nouvelle orthographe est déjà une réalité », *Le Soleil*, mercredi 10 novembre 2004, page A17.

[45] « Nouvelle orthographe : Fournier met les freins », *Le Journal de Montréal*, samedi 1er octobre 2005, page 9.

[46] *Les rectifications orthographiques : des recommandations au MELS*, http://www.aqpf.qc.ca/accueil/prise-de-position.htm, page consultée le 20 juin 2006.

[47] *Questions fréquentes sur les rectifications de l'orthographe*, http://66.46.185.79/bdl/gabarit_bdl.asp?Th=3&id=3275 , page consultée le 20 juin 2006.

On nage d'ailleurs tellement en pleine confusion qu'en mars 2005, l'Association québécoise des professeurs de français a demandé en vain au ministère d'informer correctement les enseignants « afin qu'ils puissent jouer leur rôle de diffuseurs des rectifications orthographiques » et de leur donner des directives précises « concernant l'enseignement des rectifications orthographiques et la prise en compte de ces rectifications dans l'évaluation[48] ».

Les *Rectifications de l'orthographe* ont été publiées voilà 15 ans, mais ce laps de temps n'a pas été suffisant, semble-t-il, pour que le MELS adopte une position claire à ce sujet. Il préfère attendre. Depuis 15 ans. Et il laisse les enseignants dans le brouillard le plus complet alors que les universités, l'OQLF et le CSLF ont fait connaître leur choix et appliquent la nouvelle orthographe. Quand on s'interroge sur la qualité de la langue écrite et parlée des jeunes, il ne faut pas perdre de vue avec quelle lenteur et avec quelle incohérence le ministère intervient dans différents dossiers.

L'estime de $oi

Un autre facteur explique la piètre qualité de l'enseignement du français au secondaire : au nom de l'*estime de soi* et du *respect des différences*, on intègre de plus en plus de façon inadéquate des élèves en difficulté dans les classes régulières. Au Québec, il faut savoir que 15 % des élèves sont *officiellement* considérés comme étant handicapés ou en difficulté d'adaptation ou d'apprentissage (EHDAA) et que 64 % d'entre eux sont intégrés dans des classes ordinaires[49].

En quoi ces derniers peuvent-ils affecter la qualité de l'enseignement du français dans une classe ? Dans certains cas, et c'est triste de le dire aussi crûment, un élève en difficulté représente une surcharge de travail pour l'enseignant (réunions spécifiques

---

[48] *Avis sur la proposition du nouveau Régime pédagogique*, http://www.aqpf.qc.ca/accueil/prise-de-position.htm, page consultée le 20 juin 2006.

[49] « Un système coûteux et peu efficace », *La Presse*, dimanche 19 mars 2006, page A3.

avec la direction de l'école, préparation de matériel adapté, etc.). Dans d'autres, l'élève intégré perturbera effectivement le climat de la classe. Mais surtout, ce dernier n'est plus une exception. Il n'est pas rare qu'un ou deux élèves en difficulté majeure soient intégrés dans des classes en dépassement (plus de 32 élèves au secondaire) alors qu'on sait pertinemment qu'un ou deux autres élèves de ces groupes souffrent également de problèmes qui n'ont jamais été officiellement dépistés ou reconnus. Cela, c'est sans compter les élèves *poqués* par la drogue ou un climat de violence familiale insoutenable. Les groupes sont déjà si hétéroclites et populeux qu'un enseignant, malgré toute sa bonne volonté, peut difficilement suffire à la tâche.

De plus, dans les écoles publiques, l'intégration des élèves en difficulté se fait actuellement de pair avec la création de programmes d'enseignement à vocation particulière. Ces deux tendances se heurtent de plein fouet dans certains milieux. « On voit très bien que, par une porte, on fait entrer tous les élèves en difficulté ou à mobilité réduite pendant que, par l'autre porte, on fait sortir les meilleurs éléments de la classe », explique Monique Pauzé, présidente du syndicat des enseignants de Champlain[50]. Il n'est donc pas étonnant qu'on assiste à un nivellement par le bas quand on vide les classes des éléments performants et qu'on tente d'y intégrer des élèves présentant des problèmes particuliers. Avec les écoles privées qui viennent elles aussi prélever leur part de bons élèves, les groupes réguliers du secteur public ont parfois des allures de ghettos d'apprentissage.

Si l'on peut comprendre le bien-fondé moral de l'intégration des élèves en difficulté, on peut s'interroger sur les motifs véritables de celle-ci. En fait, il s'agit davantage d'une pratique budgétaire intéressante parce qu'elle coûte moins cher, permet la réduction des services offerts dans les écoles et fait reposer principalement sur les épaules des enseignants du secteur régulier des cas qui nécessiteraient l'intervention de spécialistes.

---

[50] « Enseigner en 2005 – Les profs veulent cibler les enjeux majeurs en éducation », *Le Devoir*, mercredi 5 octobre 2005, page B9.

« On intègre les élèves à problèmes, mais les services ne suivent pas », m'expliquait récemment une collègue.

Mais l'hypocrisie des gestionnaires atteint un sommet dans le cas des élèves en difficulté qui passent du primaire au secondaire. Alors qu'après différentes évaluations psychologiques ou physiques, un élève en difficulté au primaire reçoit une certaine cote et a droit à des services d'aide, celle-ci disparaît lorsqu'il arrive au secondaire parce qu'il est *présumé* compétent. Il faut alors à nouveau dépister cet élève, l'évaluer, s'assurer qu'il reçoive une cote appropriée à son cas et qu'il bénéficie des services auxquels il a droit. La situation est devenue tellement absurde que, si autrefois les parents ne voulaient pas que leur enfant soit stigmatisé par une cote, ils doivent maintenant se battre contre les commissions scolaires pour que celui-ci soit évalué correctement afin de bénéficier de divers services d'aide !

Durant les négociations de la dernière convention collective, la situation était encore plus surréaliste : les enseignants ont dû affronter le gouvernement et même leur propre fédération syndicale qui voulaient tout bonnement qu'aucun élève ne soit coté ! Avec l'entente que voulaient conclure ces derniers, les services aux élèves en difficulté auraient été offerts en tenant compte des ressources budgétaires de l'école où ils auraient été inscrits plutôt que de leurs besoins réels.

Toujours dans le même domaine, le cas des jeunes dyslexiques soulève plusieurs questions et démontre bien les contradictions de notre système d'enseignement en ce qui a trait au français. Ne parlons pas des services parfois déficients qui leur sont offerts et attardons-nous à un autre aspect de cette problématique. Saviez-vous que, de la première à la cinquième secondaire, les textes des élèves atteints de ce trouble neurologique ne sont généralement pas évalués quant à la qualité de la langue ? Aucun point ne leur est enlevé pour l'orthographe ou la grammaire, par exemple. Ils peuvent donc aisément obtenir la note de passage jusqu'à ce qu'ils arrivent à l'examen de cinquième secondaire où les règles sont changées et où les textes écrits par ces jeunes sont évalués de la même façon que tous les autres élèves de la province. Ils réussiront parfois à s'en tirer à cause de la manière dont est conçue la grille de correction de cette épreuve et de certains accommodements, dont mon collègue Luc Germain dirait qu'ils constituent un bon exemple de différenciation pédagogique. Néanmoins, on remarque que le ministère tient un double langage dans leur cas : de la première à la quatrième secondaire, la maîtrise de la langue n'inclut pas nécessairement celle du code grammatical et de l'orthographe mais, à la fin de la cinquième, il en va tout autrement.

À la lumière de la situation des élèves dyslexiques, on peut se poser la question suivante : doit-on savoir écrire sans fautes pour se voir remettre un diplôme d'études secondaires? De nombreux pédagogues croient que la maîtrise de la langue française n'inclut pas celle de la grammaire et de l'orthographe. D'autres, au contraire, estiment qu'un élève ne peut être diplômé s'il n'écrit pas correctement son français. Où tracer la limite acceptable? Après tout, on ne demande pas à un élève muet de réussir ses exposés oraux pour obtenir son DES.

Finalement, s'il est théoriquement possible d'intégrer des élèves en difficulté dans une classe régulière, le contexte budgétaire actuel vient sérieusement miner ce travail. Lucie Cholette, présidente de l'Association du Québec pour l'intégration sociale (AQIS), constate qu'il est « clair que la situation actuelle a tendance à se détériorer rapidement. Et les compressions des budgets des dernières années, malgré l'alourdissement de la clientèle, n'y sont pas étrangères[51]. » Pour illustrer cette situation, Monique Pauzé rapporte le témoignage d'une enseignante : « Il n'y a pas d'orthophoniste qui vient nous voir. La psycho-éducatrice nous visite durant 15 minutes par mois et la psychologue se présente au rythme d'une journée par semaine pour desservir toute l'école. On n'a pas de soutien et on manque de temps pour aider les élèves en difficulté[52]. »

[51] « Élèves en difficulté : s'adapter plutôt qu'exclure », *Le Devoir*, jeudi 24 février 2005.

[52] « Enseigner en 2005 – Les profs veulent cibler les enjeux majeurs en éducation », *Le Devoir*, mercredi 5 octobre 2005, page B9.

Dans un article publié dans le quotidien *Le Devoir*, la journaliste Marie-Andrée Chouinard conclut que l'intégration des élèves en difficulté est un échec quand on n'alloue pas les sommes nécessaires à cette dernière : « Cette situation critique fragilise tout le monde : les élèves intégrés, qui n'ont pas tous les services dont ils ont besoin, les autres enfants, qui ne progressent pas aussi vite que prévu, et les enseignants qui baissent les bras ou croulent sous la tâche[53]. » Un autre article du journal *La Presse* qualifiait même ces services de « système coûteux et peu efficace[54] ».

Le gouvernement du Québec a beau jeter de la poudre aux yeux à une population ébahie et dire qu'il augmentera de 90 millions $ en trois ans les budgets alloués aux services aux élèves en difficulté, on peut néanmoins demeurer sceptique quand on réalise qu'il s'agit en fait d'une hausse de seulement 30 millions $ par année sur un budget de plus d'un milliard (soit 3,3 %, à peine le coût de la vie). Dans mon école, ce saupoudrage bénin se traduira par l'embauche de deux personnes-ressources à mi-temps pour un établissement scolaire qui compte au-delà de 2 000 élèves. De plus, cette mesure ne vise que le premier cycle du secondaire, comme s'il n'y avait pas d'élèves en difficulté au deuxième cycle !

La pédagogie du *cash*

Toujours dans le but de ne pas *stigmatiser les élèves* et de *respecter leur rythme d'apprentissage*, on interdit avec le renouveau pédagogique le redoublement de ceux qui seraient normalement en échec au secondaire et qui ne possèdent donc pas les acquis nécessaires à leur bon cheminement scolaire.

Au départ, l'idée était louable : les sommes ainsi économisées chaque année, entre 350 et 500 millions $, devaient être réinvesties pour aider les élèves en difficulté. Le hic, c'est que

[53] « Sans ressources, l'intégration est un fiasco », *Le Devoir*, samedi 12 février 2005, page A1.

[54] « Un système coûteux et peu efficace », *La Presse*, dimanche 19 mars 2006, pages A2 et A3.

cette idée est aussi rentable : tous ces millions ne seront pas intégralement utilisés à cette fin. « L'objectif premier du non-redoublement n'est pas pédagogique, mais économique », croit M. Pierre Saint-Germain, président de l'Alliance des professeurs de Montréal[55]. Ces millions retournent donc dans le fonds consolidé de la province pour servir à paver des routes ou à rénover, au coût de 30 000 $, les bureaux de la présidente et du directeur général de la commission scolaire de Laval alors que 43 écoles de cet organisme nécessitent pourtant des travaux urgents[56].

Ce que l'on fait en ce moment en éducation ressemble étrangement au virage ambulatoire dans le domaine de la santé avec les résultats que l'on sait. Par contre, comme un élève en difficulté ne meurt pas de l'absence d'un orthopédagogue, cette situation ne fera jamais la manchette des médias.

Il n'est pas surprenant que, dans un tel contexte, la popularité des cours privés ait presque doublé depuis quelques années. Ainsi, dans le cadre d'une enquête, la plupart des parents contactés par le journal *Le Soleil* ont raconté avoir opté pour un professeur privé à cause du manque de ressources à l'école de leur enfant[57]. Qu'arrive-t-il des jeunes dont les parents ne peuvent se permettre un tel service?

Pourquoi se gêner, finalement, quand le non-redoublement répond si bien à une vague de rectitude politique qu'on retrouve en éducation, laquelle permet des économies substantielles ? Cette pratique désastreuse constitue cependant, aux yeux mêmes de finissants du secondaire avec qui j'en ai discuté, une magnifique incitation à paresser en attendant « les vraies évaluations qui comptent ». L'un d'entre eux m'a d'ailleurs confié : « Pourquoi se forcer en français en première secondaire si on monte pareil? » Faudra-t-il se surprendre

[55] « L'argent du redoublement est déjà en partie évanoui », *La Presse*, samedi 18 septembre 2004, page A3.

[56] « De beaux bureaux... ! », *Le Journal de Montréal*, lundi 14 novembre 2005, page 3.

[57] « Engouement pour les cours privés : la demande a doublé à Québec », *Le Soleil*, mardi 16 mai 2006.

quand les élèves écriront incorrectement les mots *rigueur* et *effort* parce que ces deux qualités ne seront plus nécessaires à l'école ?

Les *Séraphins* de l'éducation

Peu de gens le savent, mais l'argent est un facteur déterminant dans la formation d'un groupe d'élèves au secondaire. Ainsi, dans certaines commissions scolaires, il est plus avantageux pour un directeur d'école de former des groupes avec des dépassements d'élèves que d'ouvrir de nouvelles classes avec des effectifs réduits. Entre 1995 et 2005, par exemple, le nombre de professeurs enseignant à des classes dépassant le nombre d'élèves permis a augmenté de 42 %. Pourquoi ? Tout bonnement parce les coûts engendrés par les élèves en surplus seront défrayés par la commission scolaire tandis que l'ouverture d'un groupe plus petit devra souvent se faire à même le budget de l'école concernée. Également, les compensations à verser aux enseignants pour 20 classes de première année ayant un élève en trop s'élèveront seulement à 32 500 $ alors qu'un nouveau groupe de 20 élèves en coûtera 65 340 $[58].

Les conséquences de ces pratiques sur la qualité de l'enseignement du français sont assez simples à deviner : moins de temps à consacrer à chaque élève, plus de risques d'épuisement professionnel, des classes plus bruyantes, un milieu d'apprentissage de moins bonne qualité, etc. Quand un enseignant de français a quatre groupes de 32 élèves, il ne faut pas se surprendre s'il les fait écrire moins souvent, car sa tâche est devenue plus lourde. Chaque production de 500 mots qu'il leur demande de rédiger se traduit en fait en un total de 64 000 mots à corriger et représente plus de 60 heures de travail en surplus de son temps d'enseignement régulier.

Par ailleurs, dans leur pingrerie budgétaire, les *Séraphin Poudrier* de l'éducation ne reconnaissent pas le nombre réel d'enfants en difficulté d'apprentissage dans les écoles tout simplement parce qu'ils financent leurs services selon un indice

[58] « Classe surchargée », *La Presse*, jeudi 1er décembre 2005, page A1.

de probabilité et une base historique qui ne correspondent pas toujours à la réalité sur le terrain. Ainsi, 70 000 élèves, pourtant identifiés par les écoles comme ayant besoin de services complémentaires essentiels, seraient en quelque sorte sur une liste d'attente fantôme. « On nous donne l'argent en fonction d'un calcul historique qui ne correspond pas à la réalité, et comme nous n'en avons pas assez, on cesse d'identifier les enfants dès qu'on est à sec », raconte une directrice adjointe d'une école secondaire où existe cette forme de contingentement des services[59]. Faut-il s'étonner que, selon un rapport remis au ministère de l'Éducation en 2004, 25 % des parents d'élèves handicapés ou en difficulté ont le sentiment qu'il faut « se battre » ou « faire pression » pour bénéficier des services nécessaires[60] ?

De la véritable mission éducative et de l'argent

Puisqu'on aborde le thème de l'argent, on remarque que, depuis quelques années, les gouvernements provinciaux, qu'ils soient péquistes ou libéraux, ne cessent de répéter qu'ils ont augmenté les budgets reliés à l'éducation. Au Québec, les dépenses par élève ont connu une hausse de 17,3 % entre 1996 et 2004, même si on a assisté à une baisse de la fréquentation scolaire de 3,8 %[61]. Pourtant, il suffit de regarder l'état des écoles, des dictionnaires, des bibliothèques scolaires pour se demander où va tout cet argent. Sûrement pas dans les poches des enseignants dont on a gelé le salaire pendant deux ans !

Divers indices tendent à suggérer que ce manque de ressources sur le terrain s'expliquerait par le fait que le nombre d'enfants souffrant de difficultés d'apprentissage et de problèmes de comportement serait plus important que jamais. Entre 1984 et 2000, la proportion de ceux-ci aurait triplé, selon le

[59] « Missions impossibles : Pénurie de ressources », *Le Devoir*, 14 février 2005.

[60] « Le quart des parents doivent se battre pour avoir des services », *La Presse*, dimanche 19 mars 2006.

[61] « L'explosion des dépenses d'éducation », *La Presse*, samedi 29 janvier 2005.

Conseil supérieur de l'éducation[62]. Un peu comme dans les hôpitaux, il y aurait plus de cas lourds à gérer dans les écoles, ce qui entraînerait à la fois une augmentation mais aussi un engorgement des services disponibles.

Si cette piste reste à vérifier, deux entrefilets passés inaperçus dans l'opinion publique sont vraiment très éclairants quant à la gestion des fonds publics en éducation. Le premier nous apprenait que le nombre de fonctionnaires à l'emploi du ministère de l'Éducation a augmenté de 16 % en cinq ans, entre 1998 et 2004, pour une hausse de la masse salariale de 16,6 millions $[63]. Pourtant, combien de fois a-t-on entendu le discours de certains députés et ministres à l'effet qu'il fallait réduire la taille de la fonction publique, notamment en éducation? Le second entrefilet, quant à lui, relevait que les frais de gestion des commissions scolaires avaient fait un bond de 26 % entre 1998 et 2004. Si le budget des bibliothèques scolaires connaissait une baisse de 14 % (de 43 à 37 $ par élève), celui des frais administratifs des Conseils des commissaires, par contre, augmentait de 120 % (de 10 à 22 $ par élève[64]). Heureusement, il faut le souligner, une récente mesure du MELS a permis aux bibliothèques scolaires de regarnir quelque peu leurs rayons. Mais rien n'a été fait pour contrer les débordements budgétaires des CS. L'argent géré par ces dernières ne se rend donc pas toujours jusqu'à l'élève.

Par ailleurs, une autre série d'articles publiés en septembre 2005 dans *Le Journal de Montréal* a jeté un pavé dans la mare tranquille des administrateurs scolaires qui ne sont pas habitués de voir certaines de leurs pratiques parfois choquantes étalées au grand jour. On a pu apprendre, par exemple, que des commissaires scolaires se voient rembourser une foule de dépenses. Des élus se font payer leurs déplacements, même quand ils se rendent à pied à l'école de leur quartier. Des dizaines d'autres se font rembourser chaque année des milliers de

[62] « Violents à 10 ans », *La Presse*, dimanche 27 novembre 2005, cahier Plus, page 1.

[63] « Le ministère de l'Éducation a pris du poids », *La Presse*, samedi 12 mars 2005.

[64] « Tous les frais de gestion explosent », *Le Journal de Montréal*, jeudi 21 juillet 2005, page 6.

dollars pour des activités sociales qui n'ont aucun lien avec l'éducation comme des repas gastronomiques, des voyages en Italie ou des tournois de golf[65].

On a pu apprendre également que 97 directeurs généraux et adjoints se sont partagé plus de 660 000 $ de primes de toutes sortes en 2004, généralement des primes de « bon rendement ». Quand on gagne 147 195 $ par année comme le directeur général de la Commission scolaire de Montréal (CSDM), a-t-on besoin de recevoir en plus une prime parce qu'on a effectué du bon travail? Selon Robert Cadotte, qui a longtemps siégé comme commissaire à la CSDM, « les salaires des hauts fonctionnaires sont suffisants. Nous n'avons d'ailleurs jamais eu de problèmes de recrutement, même lorsque nous ne donnions pas de bonis[66]. »

Plus récemment encore, au moment même où il gelait le salaire des enseignants parce que le déficit de la province l'exigeait (…), le gouvernement Charest augmentait de 12 à 18 % le plafond salarial des directeurs généraux des commissions scolaires. Cette enveloppe de 20 millions $, accordée à une poignée de hauts dirigeants de l'éducation, aurait pourtant pu servir à aider des milliers d'élèves québécois. Ainsi, on aurait pu réduire de 27 à 23 élèves la taille maximale des classes de troisième année du primaire en milieu défavorisé (12,5 M $), de 32 à 27 élèves la taille maximale des classes de première secondaire en milieu défavorisé (13 M $) ou encore de 19 à 16 élèves (de 18 à 15 au préscolaire) la taille maximale des classes d'accueil et de soutien à l'apprentissage de la langue française (4,5 M $)[67].

Enfin, comment ne pas être dépité quand l'ancien ministre de l'Éducation, Pierre Reid, tentait de justifier l'utilisation, au coût de 1 187 $, d'un hélicoptère pour le transporter de la

---

[65] « Les commissaires font la belle vie », *Le Journal de Montréal*, mercredi 21 septembre 2005, page 3.

[66] « De gros bonis pour les gros bonnets », *Le Journal de Montréal*, lundi 12 septembre 2005, page 5.

[67] *Le double visage de Charest*, http://www.sepi.qc.ca/sepi_docs/2005-2006%20topo%2023.pdf, page consultée le 20 juin 2006.

Colline parlementaire à l'aéroport de Québec, un trajet d'à peine 30 minutes en voiture, parce que l'heure de pointe dans la Capitale-Nationale allait l'empêcher de prendre son avion à temps[68] ? Quand l'exemple vient de si haut, il ne faut pas s'étonner que d'autres l'imitent.

En prenant connaissance de tous ces faits, on a l'impression qu'il existe, dans le système d'éducation au Québec, des roitelets sans gêne qui se graissent la patte à même les deniers publics alors qu'on réduit, en réalité, les services offerts aux jeunes. « Chacun pour soi et personne pour les élèves », pourrait-on penser. Certains administrateurs gèrent le réseau public à la façon du secteur privé, c'est-à-dire en se donnant les privilèges des entrepreneurs privés. Par conséquent, comment croire à la réussite en français quand on manque de tout ? Comment assurer la formation des élèves si le système scolaire n'y consacre pas tout son temps et tout son argent ? Où sont les véritables valeurs de ce système et des acteurs qui le dirigent ?

Soyons honnêtes : il existe de bons gestionnaires scolaires, soucieux de la réussite des élèves et de la saine gestion des fonds qui leur sont confiés par les contribuables que nous sommes. On en retrouve d'autres cependant qui prêtent flanc à la critique parce que la culture administrative de leur institution leur permet des dépenses contestables. Entre des repas bien arrosés au restaurant, des parties de golf pour établir des liens avec la communauté ou des dictionnaires en bon état, le choix semble évident. Pas pour tout le monde, faut-il croire, quand on lit les propos d'André Caron, président de la Fédération des commissions scolaires du Québec (FCSQ), un lobby privé dont la mission est de défendre les intérêts des commissions scolaires et qui a reçu de celles-ci, en 2005-2006, 3,5 millions $ en cotisations diverses (des cotisations qui sont finalement payées par les citoyens ordinaires par le biais de la taxe scolaire). M. Caron soulignait donc que les commissaires n'étaient pas des « Mère Teresa » et qu'il était normal que

[68] « Transport de ministre : l'hélicoptère de M. Reid », *Le Soleil*, mercredi 22 février 2006.

certains élus se soient fait rembourser leurs dépenses, ce qui est conforme aux politiques administratives des CS, des politiques, faut-il le souligner, qu'ils se sont eux-mêmes données[69].

Pour ma part, les pratiques de certains administrateurs scolaires demeurent moralement très discutables et le véritable scandale ne réside pas tant dans leur nombre que dans le fait que les contribuables québécois ne montent pas aux barricades pour dénoncer un tel gaspillage des fonds publics et pour exiger le remboursement de ces sommes versées au détriment des services offerts à leurs enfants. À la lumière des faits précédemment présentés, peut-on se montrer sceptiques quand, à propos des sommes allouées aux élèves en difficulté, l'actuel ministre de l'Éducation déclare qu'il est allé « ratisser tout ce qu'on pouvait ratisser dans les fonds de tiroir[70] » ?

En bout de ligne, lorsqu'on parle d'argent en éducation, on ne peut malheureusement qu'être d'accord avec l'économiste Yvan Guillemette, de l'Institut C.D. Howe (un institut généralement connu pour ses positions plutôt conservatrices) : « Le temps est venu de se demander non pas combien on dépense [en éducation], mais comment[71]. »

Quand on tentera de comprendre l'échec des diverses réformes en éducation, quand on constatera une fois de plus la piètre qualité du français des jeunes Québécois, il faudra bien tenir compte de cette gestion éhontée du système scolaire québécois. Les responsables politiques et administratifs de cette situation, quant à eux, bien qu'ils soient redevables devant la population, auront quitté la vie publique depuis longtemps.

Au royaume des analphabètes, les cancres diplômés seront rois

Voilà parfois l'impression que peuvent ressentir certains observateurs en regardant les résultats des futurs enseignants

[69] « Pas des Mère Teresa », *Le Journal de Montréal*, jeudi 22 septembre 2005, page 4.

[70] « 23 % des élèves de Montréal ont des difficultés d'apprentissage », *Le Soleil*, jeudi 11 mai 2006.

[71] « L'explosion des dépenses d'éducation », *La Presse*, samedi 29 janvier 2005.

lors de différentes évaluations visant à mesurer leur maîtrise de la langue française. En fait, selon Marie-Éva De Villers, 20 % de ceux-ci ont une bonne maîtrise du français à leur entrée à l'université, 40 % combleront leurs lacunes avec des cours d'appoint et une autre tranche de 40 % rattraperont difficilement leur retard[72]. On retrouve donc de bons candidats dans les facultés des sciences de l'éducation, il faut le souligner, mais ils sont loin d'être en majorité.

Déjà, dès 1985, la Commission scolaire de la Capitale, à Québec, exigeait des futurs enseignants la réussite d'une épreuve maison : « On s'était rendu compte que la qualité du français laissait beaucoup à désirer chez les futurs maîtres[73]. » Pour ma part, lors de mon embauche, j'ai été surpris de devoir passer un test de français avant d'être engagé. Rempli de candeur, je ne voyais pas la pertinence qu'on évalue mes habiletés puisque je détenais à la fois un baccalauréat en communication et un autre en enseignement du français au secondaire. Ma formation universitaire me semblait si irréprochable…

Vingt ans plus tard, oui vingt ans plus tard, il est faux de croire que cette situation a été corrigée. Ainsi, en 2004, à l'Université Laval, comme à peu près dans toutes les autres universités au Québec, près des trois quarts des étudiants en enseignement échouaient à un test de français lors de leur admission. En enseignement du français, un peu moins du tiers des étudiants de cette institution avaient réussi l'épreuve. Dans ce dernier cas, on pourrait toujours soutenir que la note de passage de ce test avait été fixée à 75 %, mais il faut aussi savoir que les questions de ce dernier portaient sur des notions qui auraient dû être maîtrisées aux niveaux primaire et secondaire[74].

---

[72] « Compétence et passion recherchées », *Le Devoir*, mardi 29 novembre 2005, page A9.

[73] « Qui a peur de la méchante grammaire ? », *Le Soleil*, samedi 23 octobre 2004, page D1.

[74] « Les futurs enseignants maîtrisent mal le français », *La Presse*, samedi 23 octobre 2004, page A1.

Le doyen de la Faculté des sciences de l'éducation de l'Université Laval, Claude Simard, avait tout d'abord naïvement souhaité que tous ceux qui avaient échoué à cette évaluation soient exclus des programmes de formation des maîtres, mais il a dû rapidement déchanter : les salles de classe auraient été vides et les budgets de sa faculté en auraient sûrement souffert ! Soucieuses de ne pas écarter une clientèle dont elles ont bien besoin, les universités ont alors préféré se rabattre sur un cours de mise à niveau obligatoire pour ces étudiants qui ont pourtant suivi avec succès leur cours de français au secondaire et leur épreuve uniforme de production écrite au collégial[75].

Au lieu de véritablement régler le problème à la source, on investit encore une fois des efforts et des énergies alors qu'il est trop tard, car il est illusoire de croire que c'est à 19 ans qu'on peut apprendre à un jeune à écrire correctement sa langue maternelle. « Les vraies solutions se trouvent évidemment dans le passé étudiant de ces futurs enseignants. Les critères de réussite pour les cours de français, autant au niveau secondaire qu'au niveau collégial, sont nettement insuffisants », écrivait avec justesse Étienne Dubois-Roy, un *simple* diplômé en éducation[76].

Un cours de mise à niveau est une mesure palliative qui a tout du diachylon sur une jambe gangrenée. En effet, est-il véritablement possible d'apprendre à bien écrire et à bien parler après avoir suivi une formation de seulement 45 heures ? On peut en douter mais, pour les universités, elles aussi atteintes des syndromes de *la réussite à tout prix* et de *la rentabilité des dépenses en éducation*, cette mesure leur donne bonne conscience et semble les inciter à faire peu de cas du fait qu'elles envoient parfois dans les écoles du Québec des diplômés souffrant d'importantes lacunes en français, diplômés d'ailleurs qui seront presque automatiquement embauchés parce que le réseau de l'éducation connaît une pénurie sans précédent de personnel qualifié.

---

[75] « Les futurs enseignants maîtrisent mal le français », *La Presse*, samedi 23 octobre 2004, page A1.

[76] « L'absence de cohérence », *Le Devoir*, lundi 27 octobre 2003, page A6.

En novembre 2005, devant les résultats toujours aussi catastrophiques des futurs enseignants à une évaluation de leur maîtrise du français, le même doyen de l'Université Laval s'interrogeait sur « l'efficacité du français qui leur a été enseigné avant qu'ils n'arrivent à l'université[77] ». Il aurait pu aussi constater que les facultés des sciences de l'éducation ne sont plus suffisamment attirantes pour les étudiants forts et motivés. En effet, bien souvent, ces dernières recrutent les étudiants provenant généralement des programmes collégiaux les moins exigeants[78]. « L'enseignement n'est pas une carrière prestigieuse, alors vous pouvez tenir pour acquis qu'on est souvent un deuxième choix », explique Jean-Pierre Charland, vice-doyen de la Faculté des sciences de l'éducation de l'Université de Montréal[79].

Il faut également noter que les universités elles-mêmes ne sont pas toujours très exigeantes en ce qui a trait à la maîtrise du français dans leurs propres cours. Ainsi, comme le fait remarquer Jean Gould, dans son essai intitulé *La formation des maîtres au secondaire*, un des objectifs de la Faculté des sciences de l'éducation de l'Université Laval se lisait comme suit : « [L'étudiant doit] maîtriser le français parlé et écrit assez bien pour servir de guide et de modèle à ses élèves[80]. » *Assez bien*, c'est mieux que *Répond en partie*, on l'avouera !

Par ailleurs, si on est un étudiant en enseignement, on peut être choqué quand on prend connaissance des propos de la responsable des programmes de français au primaire et au secondaire du MELS, Lise Ouellet : « Ce qui me surprend le plus, ce n'est pas les résultats obtenus à leurs examens, mais le fait que ces jeunes qui veulent enseigner n'aient pas pris

---

[77] « Les trois quarts des futurs enseignants ont coulé les tests », *Le Journal de Montréal*, lundi 21 novembre 2005, page 5.

[78] « La formation des maîtres au secondaire », *Main basse sur l'éducation*, Jean Gould, éditions Nota Bene, 2002, page 207.

[79] « Le quart des futurs instituteurs abandonnent avant de commencer », *La Presse*, dimanche 30 avril 2006.

[80] « La formation des maîtres au secondaire », *Main basse sur l'éducation*, Jean Gould, éditions Nota Bene, 2002, page 202.

eux-mêmes des mesures pour parfaire l'utilisation de leur langue[81]. » Comment veut-on que ces jeunes aient conscience de leurs difficultés quand ils ont décroché avec succès un diplôme d'études secondaires et, plus tard, un diplôme d'études collégiales ? Après les avoir bernés avec des évaluations complaisantes, voilà maintenant qu'on les blâme en quelque sorte d'avoir cru à la rigueur de celles-ci !

Pis encore, l'échec des futurs enseignants vient conforter le ministère dans sa volonté d'implanter le renouveau pédagogique : « Dans le nouveau programme de français qu'on élabore, indique Mme Ouellet, on veut amener les étudiants à réfléchir sur ce qu'ils font : on veut les rendre responsables de leur apprentissage en se questionnant sur les raisons de leur succès ou de leur insuccès[82]. » Au-delà de cette pensée magique caractérisant les adeptes du *renouveau charismatique*, on a l'impression que le MELS croit que les enseignants de français du Québec attendent encore bêtement cette réforme pour amener leurs élèves à réfléchir sur l'acte d'écrire !

Finalement, on peut s'interroger à savoir comment un enfant pourra apprendre correctement la langue de Denise Bombardier si celui qui a pour mission de la lui enseigner ne la maîtrise pas. En analysant bien cette situation à la fois absurde et dramatique, on réalise que, pour des raisons pédagogiques et financières, le système scolaire se reproduit avec ses imperfections et ses erreurs. Et quand j'entends un jeune enseignant de français parler à ses élèves en disant des « à cause que », je rage en pensant qu'il devrait être un modèle pour les jeunes. Mais je rage encore plus quand j'entends le ministre de l'Éducation Jean-Marc Fournier employer des *rait* avec les *si* [83]. Il m'arrive alors de m'ennuyer de Claude Ryan et de ses incroyables verbes conjugués au subjonctif plus-que-parfait.

[81] « Les futurs profs et le français : la désolation au ministère », *Le Journal de Montréal*, 22 novembre 2005.

[82] *Ibid.*

[83] « Manière de langage », *Le Soleil*, samedi 19 mars 2005, page A16.

La *déformation* des maîtres

Puisqu'on traite de la formation des enseignants, il serait intéressant de relever les pratiques incohérentes du MELS quant à celle-ci.

Avant les états généraux de l'Éducation, pour enseigner au primaire ou au secondaire au Québec, il fallait détenir un baccalauréat de trois ans en enseignement ou encore un baccalauréat dans une matière spécialisée et un certificat en pédagogie. C'est cette première formation que j'ai suivie et, hormis mes stages et quelques cours de linguistique, celle-ci a constitué la plus grande perte de temps de ma vie. Certains professeurs nous enseignaient une pédagogie qu'ils n'employaient même pas en classe avec nous (prouvant une fois de plus le proverbe voulant que les cordonniers soient les plus mal chaussés), on s'ennuyait ferme dans les cours de didactique et on réclamait en vain des cours de grammaire de base parce que, si certains d'entre nous écrivaient sans trop de fautes, on ne se souvenait plus très bien des règles que nous avions vues au secondaire et qu'il nous faudrait bientôt enseigner à nos élèves.

Après les états généraux de l'Éducation et dans le but d'appuyer la réforme à venir, on a voulu développer la polyvalence des enseignants et on a modifié les exigences pour occuper cet emploi. Seul un baccalauréat en enseignement de quatre années donnerait accès à cette profession. Fini le certificat en pédagogie qui permettait d'accueillir ceux qui avaient trois années d'études en littérature à l'université, par exemple. Dorénavant, la formation demandée couvrirait deux matières. Ironiquement, comme le soulignait Normand Baillargeon, professeur au département des sciences de l'éducation de l'UQÀM, Albert Einstein n'aurait pu enseigner au secondaire au Québec sans refaire quatre années d'université. Pis encore, comparée à l'ancienne, la nouvelle formation, avec ses deux matières à enseigner, réduisait le temps consacré à chacune : « Ce nouveau baccalauréat, qui comptait une année et 32 crédits de plus que l'ancien, réussit le tour de force de réduire de 19 crédits la formation en français[84]. » À l'UQÀM, malgré les plaintes des étudiants en enseignement du français auprès du MELS, ces derniers ont été forcés de suivre des cours de Formation personnelle et sociale (FPS – aujourd'hui disparue avec la réforme) alors qu'ils réclamaient des cours de grammaire en plus grand nombre[85].

En 2000, les programmes universitaires d'enseignement ont renoncé au principe de la bidisciplinarité et le nombre de cours consacrés au français et à la littérature s'est accru d'autant. Seul problème à l'horizon : avec la formule de titulariat que certaines écoles mettent de l'avant, on aurait besoin que les enseignants dispensent plus d'une matière… « On ne sait plus à quel saint se vouer. On nous dit de former des spécialistes, mais on voudrait que sur le terrain le brevet permette la polyvalence de nos maîtres au secondaire », explique le doyen de la Faculté des sciences de l'éducation de l'UQÀM, Marc Turgeon[86].

Par ailleurs, avec une pénurie d'enseignants dont le ministère a pourtant nié l'existence et dont il prévoit la fin en 2010, le gouvernement permettra aux étudiants de quatrième année du baccalauréat en enseignement et aux bacheliers universitaires spécialisés d'enseigner immédiatement en classe s'ils s'engagent à suivre une formation en pédagogie. « Le ministre tient un double discours, affirme Jean-Pierre Charland, vice-doyen de la Faculté des sciences de l'éducation de l'Université de Montréal. Il exige un baccalauréat en pédagogie de quatre ans, avec des stages, mais dès qu'il y a une pénurie, il abandonne ses beaux principes. En a-t-on besoin ou n'en a-t-on pas besoin, de ce baccalauréat[87] ? »

Ce que l'on remarque dans toute cette situation, c'est que les exigences du MELS ne suivent strictement aucune logique.

---

[84] « La formation des maîtres au secondaire », *Main basse sur l'éducation*, Nicole Gagné, éditions Nota Bene, 2002, page 197.

[85] « Bizarre ! », disent les futurs profs », *Le Devoir*, mardi 4 avril 1995.

[86] « Le décrochage, du cours classique à aujourd'hui », *Le Devoir*, samedi 29 mars 2003, page B6.

[87] « Des permis temporaires dès septembre », *La Presse*, vendredi 19 mai 2006, page A18.

Et c'est avec ce mode de gestion *à la petite semaine* qu'on forme vaillamment les enseignants de français de nos enfants.

Le renouveau pédagogique : au bûcher, les mécréants !

En plus de la réforme du programme de français implantée en 1995, l'école secondaire québécoise connaît actuellement un autre changement important : le renouveau pédagogique. Les effets de celui-ci s'annoncent potentiellement tout aussi dévastateurs quant à l'enseignement du français, notamment à cause de certaines bases sur lesquelles il repose, du type d'évaluation qu'il préconise mais surtout de la façon dont on gère actuellement son implantation dans le réseau scolaire.

Lorsqu'on analyse ce renouveau, on remarque vite qu'il vise à donner aux élèves « une formation leur permettant de réfléchir et de s'engager comme citoyens et de participer aux grandes préoccupations de la société telles que l'environnement, la santé et le bien-être, l'orientation d'entrepreneuriat et les médias[88] ». Il se dégage une forte tendance idéologique de ces objectifs, on en conviendra, mais le plus consternant demeure que ce changement pédagogique vise à développer un esprit critique qu'on souhaite parfois faire taire dès qu'il s'agit de commenter l'éducation et la réforme elle-même.

En première secondaire, l'année dernière, les pourcentages ont été remplacés par des chiffres ou des lettres dans le bulletin et, pour l'instant, on comprend que l'élève sera évalué de façon formelle à la fin de la deuxième, troisième, quatrième et cinquième année du secondaire. Le redoublement, sans être interdit, est une mesure exceptionnelle tandis que l'intégration des élèves en difficulté devient une mesure plus fréquente avec les conséquences qu'on a déjà expliquées. Il peut s'agir d'adolescents éprouvant des troubles de comportement ou encore d'élèves accusant un an à un an et demi de retard scolaire par rapport aux jeunes de leur âge[89]. Pendant un temps, on a

[88] « Déjà septembre pour une quinzaine d'écoles », *Le Devoir*, samedi 8 janvier 2005.

[89] « Nouvelle vague d'intégration des élèves en difficulté au secondaire », *Le Soleil*, mercredi 1er mars 2006, page A1.

également craint que les classes de cheminement particulier ne disparaissent. Si celles-ci demeurent, une porte-parole du MELS, loin d'être rassurante, prend bien soin de préciser que « ces classes n'ont jamais été obligatoires, mais qu'elles ont encore droit de cité. Ce sont les commissions scolaires qui décident de leur avenir[90]. » Comme il s'agit de groupes où le ratio maître/élèves est peu élevé, il ne faudrait pas s'étonner si elles disparaissaient pour des raisons strictement budgétaires.

Au quotidien, maintenant, il faut voir certains tenants du *renouveau liturgique* au secondaire desservir leur cause lorsqu'ils parlent de cette révolution en enseignement : on croirait entendre les membres d'une secte vanter les vertus de leur nouvelle religion. C'est un peu comme si les pédagogues avaient remplacé les curés dans nos écoles. Décrochage scolaire : « Le renouveau va régler tout ça ! » Maîtrise de l'informatique : « La pédagogie par projet et les liens entre les matières vont amener l'élève à développer des compétences insoupçonnées et transversales ! » Alléluia ! Tout enseignant qui n'adhère pas à la Bonne Parole socioconstructiviste devient même un résistant au progrès, un rétrograde, car la réforme est « basée sur des découvertes scientifiques modernes » qui n'admettent aucune contestation. Bref, on n'est pas tellement loin de l'endoctrinement et de la propagande. Les théories psychologiques de Piaget sont devenues des lois aussi scientifiques et immuables que celles de la gravitation ou de la relativité. Pourtant, existe-t-il un domaine d'activité humaine (je ne parlerai pas de science) aussi sujet à contestation que la psychologie ?

Dans les écoles, actuellement, on devient parfois un dangereux hérétique voué au bûcher si on propose un mode d'apprentissage différent ou traditionnel parce que la réforme a entraîné avec elle une série de préjugés et de caricatures qui malmènent le discernement le plus élémentaire. « Quoi ? Un test à choix de réponses ! Ben voyons donc ! Tu ne te rends pas compte de ce que tu fais à tes élèves ! T'es pas dans l'esprit de la réforme ! », me suis-je déjà fait reprocher par un de ces

[90] « Nouvelle vague d'intégration des élèves en difficulté au secondaire », *Le Soleil*, mercredi 1er mars 2006, page A1.

George Bush de la pédagogie qui, au nom de sa foi et de ses convictions, est prêt à tuer toute diversité d'apprentissage. Dans certains cas, on va jusqu'à remettre en question la tenue même d'examens et de critères de classement en affirmant qu'ils ne sont d'aucune utilité et qu'ils servent davantage à effectuer un « tri social » qui brime les élèves[91].

Plus incroyable encore est cette histoire survenue dans une école de ma région. Les années passées, à chaque fin d'étape, les enseignants étaient invités à inscrire au bulletin des élèves qui le méritaient des mentions d'excellence. Mais voilà : une telle pratique n'aurait plus sa place avec la réforme parce qu'il faudrait à tout prix éviter de dévaloriser les élèves qui ne se démarqueraient pas positivement du groupe, quitte à ne plus souligner ceux dont la réussite est exceptionnelle.

Cette anecdote, parmi tant d'autres, ne peut évidemment que nourrir les craintes de ceux qui croient que le renouveau pédagogique constitue un nivellement par le bas. Dans la même veine, comment ne pas sursauter quand on entend un directeur d'école expliquer que le premier cycle du secondaire n'est ni plus ni moins maintenant que le quatrième cycle du primaire, comme si on allait « infantiliser » l'école secondaire et réduire les attentes envers les élèves?

Aussi paradoxal que cela puisse paraître, et comme l'a écrit mon collègue Luc Germain, la pédagogie par projet cause plus de problèmes aux élèves, notamment à ceux en difficulté ou provenant d'un milieu défavorisé, à cause de l'ampleur et de la complexité des tâches demandées, mais aussi à cause du peu de ressources qu'on lui a consacrées au primaire[92]. Pourtant, c'est ce mode pédagogique que préconise le MELS et qu'il nous demande d'utiliser avec nos élèves au secondaire. Va-t-il falloir alors diminuer les exigences des programmes et nos propres exigences pour assurer la soi-disant réussite des élèves? Va-t-il falloir que les enseignants deviennent de bons petits

[91] *Un tribunal condamne l'examen de diplomation,* http://www.opossum.ca/guitef/archives/002892.html, page consultée le 20 juin 2006.

[92] « Doit-on arrêter la réforme en éducation? », *CSQ Nouvelles*, septembre-octobre 2005, page 16.

soldats et suivent les ordres venus d'en haut bien qu'ils n'aient aucun sens ? Un jeune de 12 ans a-t-il toute l'autonomie et le sens des responsabilités nécessaires pour assumer ses apprentissages ? J'en doute.

En fait, pour certains enseignants pourtant pro-réforme de mon entourage, cette dernière est victime de dérives incroyables et a été détournée de ses véritables intentions pédagogiques. « Au départ, on parlait d'un retour aux matières de base. Finalement, on se retrouve avec une révolution pédagogique », explique Éric Bédard, cofondateur du Collectif pour une éducation de qualité (CEQ)[93]. Dans sa façon d'être appliquée au secondaire, la réforme serait par conséquent loin d'un de ses objectifs initiaux : au lieu de bonifier le *curriculum*, elle a complètement transformé l'acte d'enseigner. Si certains souhaitaient qu'on dépoussière les méthodes pédagogiques, ils auront été exaucés : en effet, dans son courant le plus radical, le socioconstructivisme nie le rôle de l'enseignant traditionnel et la possibilité théorique de communiquer un savoir à des élèves ! Les savoirs devront plutôt émerger du cerveau des élèves qui, plongés dans des mises en situation stimulantes et complexes, tâtonneront, ânonneront et réinventeront ni plus ni moins toutes les découvertes des derniers millénaires. Combien faudra-t-il alors de baignoires pour amener un groupe d'élèves à s'écrier « Eurêka ! » ? D'ailleurs, le terme *élève* est même proscrit par certains qui lui préfèrent celui d'*apprenant*, car ce dernier ne sous-entend pas une notion d'infériorité par rapport à l'enseignant.

Tous les partisans de la réforme ne sont pas des zélotes illuminés, loin de là, même si dans certains cas ils font preuve d'un intégrisme apeurant. Mais quand vient le temps pour eux de justifier ce renouveau, leur argumentation ne me semble pas toujours à la hauteur du changement prôné. Prenons par exemple le débat qui a suivi le reportage radiophonique « La réforme : quessa donne ? » diffusé sur les ondes de Radio-Canada le 24 avril 2006. Deux défenseurs du renou-

---

[93] *La réforme au coeur des débats*, http://www.infobourg.com/sections/editorial/editorial.php?id=10503, page consultée le 20 juin 2006.

veau affirmaient que celui-ci permet une pédagogie par projet qui « donne plus de sens » aux apprentissages des élèves, élimine le « bourrage de crâne » lié à l'enseignement traditionnel et crée une plus grande coordination entre les niveaux d'enseignement. Comme le leur soulignait Yves Boisvert, chroniqueur au journal *La Presse*, fallait-il absolument chambarder tout le réseau de l'éducation pour arriver à ce résultat, d'autant plus que les programmes d'enseignement actuels n'interdisent ni la créativité ni la coordination ? De même, lorsque l'ex-ministre Legault vantait la réforme en affirmant qu'on enseignerait à l'élève « à apprendre à apprendre », faut-il se rappeler que la majorité des enseignants du Québec savent déjà, comme le dit si bien le proverbe, « qu'il vaut mieux montrer à quelqu'un à pêcher que de lui donner un poisson » ?

Reste l'argument à l'effet que la réforme pourrait contrer le décrochage scolaire, argument qu'on ne peut pas encore vérifier au Québec. Ailleurs dans le monde cependant, les résultats de réformes éducatives basées sur le socioconstructivisme soulèvent de nombreuses controverses. Quoi qu'il en soit, en 1997, dans la Belle Province, 69 % des jeunes inscrits en cinquième secondaire obtenaient un diplôme d'études secondaires. L'année suivante, ce taux passait à 72 % sans que le *renouveau fantastique* n'y soit pour quelque chose. Et ce chiffre monte à 81 % si on y ajoute ceux qui obtiennent leur DES à l'âge adulte[94]. En fait, si l'on se base sur le rapport Gervais présenté au MELS en octobre 2005, l'éducation au Québec constitue une réussite quant à la diplomation, à la fréquentation scolaire et à la qualité de la formation si on la compare à de nombreux pays de l'OCDE[95]. De même, Statistique Canada conclut également à une chute du taux de décrochage au Québec entre 1990 et 2005, bien que celle-ci soit moins importante qu'ailleurs au Canada[96].

---

[94] « Études et taux de réussite », *Le Devoir*, samedi 12 août 2000, page E6.

[95] *Rapport sur l'accès à l'éducation*, http://www.MELS.gouv.qc.ca/lancement/Acces_education/454332.pdf, document consulté le 20 juin 2006.

[96] *Taux de décrochage provinciaux – Tendances et conséquences*, http://www.statcan.ca/francais/freepub/81-004-XIF/2005004/drop_f.htm, page consultée le 20 juin 2006.

Pour ma part, le renouveau pédagogique n'est pas la solution à tous les maux comme on tente de nous le faire croire. Je suis ouvert à de nouvelles formes d'apprentissage. Seulement, on comprendra que je me méfie de ce dernier pour des raisons philosophiques, pédagogiques et pratiques.

Le renouveau pédagogique : le triomphe du néolibéralisme ?

Certains aspects du renouveau pédagogique ne sont pas sans susciter des débats passionnés quant au fait que l'école serait maintenant soumise aux diktats du monde des affaires. Après tout, rappellent certains enseignants craintifs, l'un des pères de cette réforme n'est-il pas François Legault, ancien titulaire du ministère de l'Industrie et du Commerce et ex-président fondateur de la compagnie aérienne Air Transat ?

Au secondaire plus particulièrement, plusieurs sont convaincus, à tort ou à raison, que l'approche par compétence préconisée par le MELS se fait au détriment des connaissances ainsi que d'un contenu culturel et humaniste. Ils voient dans cette réforme pédagogique une *utilitarisation* de l'école afin de répondre aux demandes néolibérales de la grande entreprise. Ainsi, selon Normand Baillargeon, professeur au département des sciences de l'éducation de l'UQÀM, la notion de compétence relève davantage de la culture de la gestion[97].

Ce passage d'une lettre d'une future enseignante est loin de lui donner tort : « Les entreprises de notre société ont demandé des gens plus compétents ; c'est pour cela que le programme [le renouveau pédagogique] est né : pour satisfaire ces entreprises. Ils veulent engager des gens qui ont un certain savoir-agir. C'est-à-dire des gens (ou des enfants, dans notre cas) qui doivent savoir mobiliser leurs ressources pour ensuite les intégrer et finalement les transférer dans une situation relativement nouvelle[98]. » L'école ne veillerait donc plus à créer

[97] « La réforme : quessa donne ? », diffusé sur les ondes de Radio-Canada le 24 avril 2006.

[98] *L'évaluation au primaire*, http://www.cyberpresse.ca/article/20060524/CPOPINIONS/60524043/5290/CPOPINIONS, page consultée le 20 juin 2006.

des êtres pensants et critiques mais formerait des individus compétents dans l'exécution de tâches précises et façonnés pour le marché du travail. De l'instruction, on serait passé de façon réductrice à l'éducation puis finalement à la formation.

Une autre raison qu'ont certains de penser que l'école aurait été détournée au profit de l'entreprise est cette volonté claire de transmettre aux élèves une culture d'entrepreneuriat. Ainsi, tant les programmes que les activités scolaires s'appliquent donc à faire acquérir aux jeunes les habiletés et les valeurs entrepreneuriales, dont celles évidemment du profit et de la rentabilité. Un exemple d'initiative pour y parvenir est bien sûr le *Concours québécois en entrepreneuriat*, dont le gouvernement québécois est le partenaire principal. En cette période de tourmente économique où certaines écoles ont besoin de rénovations majeures, il a contribué financièrement à celui-ci pour une somme de près de 21 millions $ pour les années 2004 à 2006[99]. Toujours concernant ce concours, un communiqué du MELS précise qu'il « vient soutenir le développement de l'esprit d'entreprise et de la culture entrepreneuriale dans le réseau de l'éducation au Québec, en plus de créer un lien entre la dimension éducative et celle de la croissance de l'économie et de l'emploi[100] ». Dans ce contexte, il n'est pas étonnant qu'une enseignante du primaire ait eu l'impression d'être « promue au rang de gestionnaire de micros entreprises » dans sa classe[101].

On retrouve également le concept d'école « orientante », dont deux des objectifs sont de préparer les jeunes au marché du travail et de contrer le décrochage scolaire. On suppose, en effet, que l'élève, motivé par la perspective d'un emploi qu'il désirera occuper, accomplira plus aisément des apprentissages reliés à ce dernier. Aussi, du primaire au collégial, on l'amènera par exemple à mieux se connaître, à explorer différentes

[99] « Culture d'entrepreneur », *Le Soleil*, 18 février 2004, page A11.

[100] *Le gouvernement du Québec soutient le développement de l'esprit entrepreneurial chez les jeunes*, http://www.MELS.gouv.qc.ca/CPRESS/cprss2003/c030617.htm, page consultée le 20 juin 2006.

[101] *D'une équipe qui 89 ans d'expérience*, http://www.lbr.ca/article-4-1904.html, page consultée le 20 juin 2006.

professions, à acquérir des habitudes de travail utiles à son métier d'élève et à son insertion dans le marché du travail. De façon concrète, dans un guide du MELS à l'intention des parents, on précise que les enseignants seront invités à « mettre en évidence, en classe, les liens qui existent entre la matière qu'ils enseignent et diverses professions afin que votre enfant puisse se rendre compte de l'utilité des apprentissages qu'elle ou il fait à l'école[102] ». Bref, sans être un orienteur scolaire, un enseignant de français, qui a déjà l'impression de manquer de temps pour couvrir le programme officiel du ministère, devra maintenant tenir compte des débouchés du marché du travail dans le cas des connaissances qu'il souhaite voir acquérir par les élèves s'il veut que celles-ci aient un sens. Déjà, certains manuels scolaires s'assurent de bien relier les apprentissages au monde de l'emploi et tant pis si Baudelaire n'occupait pas un métier d'avenir.

Pour ma part, j'ai des réserves quant à savoir si l'éducation est victime d'un gigantesque complot politico-industriel. Je constate cependant que l'école d'aujourd'hui ne semble plus être celle de ma jeunesse. Dorénavant, il faut que la connaissance soit pragmatique, qu'elle serve, que l'élève s'inscrive dans une logique de recherche d'emploi. Dans ce contexte de quasi-conditionnement de l'utilité du savoir et d'un travail comme finalité de ce dernier, j'ai la nette impression qu'enseigner la poésie sera une véritable hérésie. Également, tout comme Pierre Lefebvre, réalisateur du reportage « La réforme : quessa donne ? », je crains que nous assistions à une rupture intergénérationnelle importante puisque certains savoirs plus classiques, écartés par les nouvelles nécessités pédagogiques, ne seront plus connus de la génération de jeunes et d'enfants formés par le renouveau pédagogique.

Le renouveau pédagogique : noyons le poisson !

Ce qui m'excède aussi avec le renouveau pédagogique, c'est tout d'abord qu'on retrouve au secondaire l'emploi d'un double

[102] *L'école orientante – guide à l'intention des parents*, ministère de l'Éducation, 2001.

langage qui n'augure rien de bon. Ainsi, à la suite de nombreuses critiques, le ministère a indiqué que le « choix des méthodes et approches pédagogiques à utiliser » en classe repose sur les enseignants[103]. Dans plusieurs débats, on affirme que la pédagogie par projet n'est qu'un moyen parmi tant d'autres de faire apprendre, simplement l'ajout d'une nouvelle forme d'apprentissage. Rien n'est plus faux à la fois parce qu'il ne s'agit pas d'une technique récente en classe et parce qu'elle constitue la nouvelle norme en éducation.

Un autre aspect qui suscite mon exaspération est le fait qu'à la critique voulant que ce soient des fonctionnaires du MELS qui auraient concocté une réforme irréaliste, on réponde que le renouveau est le produit d'une réflexion d'enseignants. Où est la différence ? En quoi ce programme est-il meilleur parce que des enseignants l'auraient rédigé ? Ces derniers ont été choisis et retenus en fonction de leurs convictions pédagogiques favorables à ce changement, pas uniquement à cause de leur statut de praticiens. Le MELS a cette fâcheuse tendance à n'écouter que les avis qui le rassurent dans ses décisions.

Enfin, voilà qu'on s'amuse à nous rabâcher depuis quelques mois que le renouveau pédagogique n'abrutira pas les jeunes, car les compétences qu'il vise à inculquer aux élèves n'excluent pas les connaissances et que les unes ne vont pas sans les autres. J'admets ce raisonnement, soit. Mais de quelles compétences et de quelles connaissances parle-t-on ? Et de connaissances rattachées à quel type de culture ? L'école donnera-t-elle, sous le pragmatisme des compétences socioconstruites, accès à des connaissances propres à la culture seconde ?

Le renouveau pédagogique : une fuite éperdue vers l'avant

Même si elle a été retardée de deux années au secondaire[104], on remarque que l'implantation du renouveau pédagogique

[103] « La réforme au primaire est stoppée », *La Presse*, mercredi 26 octobre 2005, page A1.

[104] *Calendrier d'implantation des programmes d'études préscolaire, primaire et secondaire*, ministère de l'Éducation, dans sa version datée du 31 mars 2000.

se fait actuellement dans l'improvisation la plus complète. Il ne fait aucun doute que, pour le MELS, le terme « cohérence » trouve sa source dans les termes « co » et « errance » et signifie « errer ensemble ».

Question d'établir son autorité politique par rapport aux enseignants après sa nomination, Jean-Marc Fournier a pris la décision d'aller de l'avant avec ce renouveau pédagogique malgré de nombreux signaux lui indiquant qu'il faisait fausse route.

Le ministre Fournier se targue, entre autres, d'avoir l'appui des parents pour justifier sa décision d'appliquer sans évaluation préalable la réforme au secondaire. Les a-t-il véritablement consultés et informés quant à cette dernière? Doit-on lui rappeler qu'il s'agit pourtant des mêmes personnes qui comprennent difficilement les bulletins à l'aide desquels sont évalués leurs enfants au primaire ? Un autre signe qui montre clairement que les parents sont malheureusement dépassés par la réforme est bien sûr l'augmentation du nombre d'entre eux qui se tournent vers des cours privés. Plusieurs propriétaires d'entreprises d'aide aux devoirs voient un lien direct entre l'augmentation de la demande et la réforme : « Les parents sont plus déboussolés, ils ont de la difficulté à suivre la matière et à aider leurs enfants, affirme Maude Lefebvre, propriétaire de Profs de Secours depuis sept ans. Ils appellent souvent ici en catastrophe[105]. » Pour sa part, Diane Miron, présidente de la Fédération des comités de parents du Québec (FCPQ), reconnaît elle-même qu'un important travail de communication doit être effectué auprès des parents afin de leur permettre de mieux comprendre la réforme et ainsi aider davantage leurs enfants[106]. Souvenons-nous cependant que le renouveau est implanté dans nos écoles depuis déjà sept ans.

Par ailleurs, le ministre passe sous silence qu'il n'a pas nécessairement l'appui des 76 000 enseignants du Qué-

[105] « Engouement pour les cours privés : la demande a doublé à Québec », *Le Soleil*, mardi 16 mai 2006.

[106] *Ibid.*

bec qui, eux, sont bien au fait de ce qui se vit dans les écoles de la province et qui ont été tenus, dans certains cas, dans un état d'ignorance inqualifiable par rapport à la réforme. De plus, le ministre les a isolés politiquement sur la table de pilotage du renouveau pédagogique en ne tenant pas compte de l'avis de leurs représentants quant à la conception des bulletins au primaire et au secondaire. Il est d'ailleurs curieux de voir à quel point il prend ses distances de son prédécesseur « héliporté », Pierre Reid, qui affirmait : « L'élément-clé de l'enseignement, de l'université jusqu'au primaire, ce sont les professeurs. Si ces gens-là ne se sentent pas à l'aise, il ne faut pas mettre la réforme en place[107]. »

Et si on se tourne maintenant vers le présent, après une année d'implantation au secondaire, plusieurs indices donnent déjà à penser que le *renouveau problématique* ne tiendra pas les promesses tant annoncées.

Tout d'abord, les premiers jours de ce renouveau se sont vécus presque sans manuel scolaire ni matériel pédagogique. « Ce n'est pas si grave que ça, m'a expliqué un cadre de l'éducation. La réforme, c'est travailler par projet. On n'a pas besoin de livres pour ça ! » Pourquoi alors le ministère a-t-il consacré 169 millions $ en quatre ans pour l'acquisition de livres et de matériel scolaire s'ils sont inutiles ? En septembre 2005, seuls trois manuels adaptés à la réforme étaient disponibles et approuvés par le MELS. Et dire que le ministère nous promettait 12 manuels dès juin 2005 ! Dans le cas de deux manuels d'histoire, il a même fallu apposer des *errata* au début des volumes puisque des erreurs s'y étaient glissées. Pour l'année scolaire 2006-2007, le même scénario semble se répéter puisque aucun manuel scolaire n'était encore approuvé à la fin mai 2006 pour la deuxième secondaire[108]. C'est à se demander finalement si ce sont les enseignants ou les maisons d'édition qui ont obtenu le report de la réforme !

---

[107] « Les profs demandent un autre report de la réforme », *La Presse*, lundi 14 mars 2005, page A1.

[108] « Aucun manuel scolaire n'est encore approuvé », *La Presse*, vendredi 26 mai 2006, page A1.

Également, sauf pour ce qui est des laboratoires en sciences, ce *renouveau famélique* s'est effectué aussi sans budget supplémentaire pour aménager les classes et les rendre plus aptes au travail par projet. Où est la cohérence quand on constate que le MELS a ajouté 143 millions $ pour prolonger les heures de classe au primaire, mais qu'il ne prévoit rien pour implanter la réforme au secondaire[109] ? Ne devrait-on pas consolider ce qui se fait actuellement à l'école avant de se livrer à de nouveaux projets ? Côté pédagogie, on comprend que cette approche puisse difficilement se vivre au quotidien dans des locaux surpeuplés, non aménagés pour tenir compte de cette nouvelle forme d'apprentissage. Quand on pense qu'un collègue de français avait commencé la dernière année scolaire avec un groupe de 37 élèves et qu'il n'y avait pas assez de chaises pour asseoir tout le monde dans la classe…

Plus intéressant encore, on est également peu surpris d'apprendre que, même après deux ans de retard dans l'application de la réforme, dans différentes commissions scolaires, les diverses politiques d'évaluation des apprentissages étaient toujours en voie de rédaction quelques mois après le début de l'année scolaire 2005-2006. On peut s'interroger sur un système qui demande d'aller de l'avant avec un programme d'enseignement sans qu'on ait déterminé au préalable la façon d'évaluer les apprentissages des élèves !

Les commentaires de Philippe Perrenoud sont assez éclairants quant à la conception des programmes d'enseignement et l'évaluation des apprentissages. Ce sociologue suisse, considéré par plusieurs comme le père de la réforme scolaire dans ce pays, déclare : « On souffre de la relative légèreté des systèmes éducatifs qui mettent en place des *curricula* par compétences avant de savoir comment les évaluer. Le système éducatif adopte très vite des *curricula* qui mettent en crise les procédures classiques d'évaluation, puis se tourne vers les spécialistes de l'évaluation pour leur demander : « Maintenant, dites-nous comment faire pour évaluer les acquis dans ce nouveau *curriculum.* » Il serait préférable de poser la question

[109] « 13 milliards ! », *Le Journal de Montréal*, vendredi 24 mars 2006, page 9.

avant, c'est-à-dire au moment de la construction du *curriculum*, avant sa mise en œuvre. Mais la sociologie des *curricula* montre que la question de l'évaluation est toujours la dernière qu'on pose, après l'adoption des nouveaux programmes. On peut imaginer que ce n'est pas par hasard : si on la posait avant, on retarderait considérablement la mise en place de nouveaux programmes, en attendant d'avoir une réponse satisfaisante à la question de l'évaluation. On se rend compte de ce vide au moment où l'on demande aux enseignants d'évaluer selon le nouveau programme. Ils disent : « Oui, mais comment faire ? » C'est alors qu'on réalise qu'on aurait dû y penser plus tôt[110] ! »

C'est aussi à la pièce que mes collègues de français de première secondaire ont appris comment évaluer leurs élèves. Dans plusieurs écoles, l'année dernière, ceux-ci n'ont pas pu remettre un sommaire de cours aux parents, faute d'information leur permettant de savoir quoi y écrire. Ils ignoraient même la forme qu'allaient prendre les évaluations en cours et en fin d'année ! Finalement, s'il y a eu des « évaluations » en première secondaire en juin 2005 dans certaines écoles, c'était bien plus pour s'assurer que les élèves demeurent tranquilles que pour mesurer leurs connaissances... ou plutôt leurs compétences.

Toujours concernant l'implantation du renouveau pédagogique, un intervenant de ma CS m'a expliqué : « C'est utopique de croire qu'on va appliquer la réforme dans sa totalité en première secondaire dès cette année. On va plutôt *mixer* l'enseignement traditionnel et faire quelques projets s'apparentant à la réforme. On est en implantation. Puis, on les évalue formellement juste à la fin de la deuxième secondaire. Ça nous laisse du temps. » Les élèves sont-ils des cobayes, d'après vous?

Par ailleurs, on a reproché aux enseignants le retard dans l'implantation de la réforme. Il faudrait peut-être faire la part des choses. Ainsi, le 10 mai 2005, lorsque les syndicats des enseignants demandaient un report d'un an de la réforme au secondaire, Diane Miron, présidente de la FCPQ, déclarait

---

[110] *Entrevue avec Philippe Perrenoud*, http://www.formation-profession.org/ktmlpro/files/uploads/v11_n1/v11_n1_entrevue.pdf, document consulté le 20 juin 2006.

le plus sérieusement du monde : « Je ne pense pas qu'on va changer notre fusil d'épaule là-dessus à la demande des syndicats, qui ont eu assez de temps pour se préparer[111]. » Il serait peut-être intéressant de l'entendre se prononcer également sur l'incurie du MELS ainsi que des commissions scolaires… Soulignons qu'il s'agit de la même Diane Miron qui changeait d'idée et qui approuvait, le 26 octobre 2005, l'arrêt de la réforme au primaire en affirmant : « On s'est dit : ne poussons pas trop sur la machine si elle n'est pas prête à avancer plus qu'il ne le faut[112]. »

Le renouveau pédagogique : des expériences peu concluantes au secondaire

Parmi les autres signaux qui indiquent que le *renouveau chaotique* fait probablement fausse route, on remarque les ratés de la réforme au primaire dont mon confrère Luc Germain a traité précédemment. Une fois encore, on constate que les élèves écrivent toujours aussi mal mais *réussissent* parce que la façon dont on les évalue est biaisée. Et dire que le ministère lui-même convient que le renouveau « propose un virage pédagogique encore plus long et difficile à négocier au secondaire qu'au primaire[113] » ! Un virage plus long et difficile que celui du primaire mène inévitablement à un dérapage, je crois ! Imaginez à quel point le niveau de difficulté est plus élevé au secondaire : au primaire, un jeune a un enseignant tuteur et une seule classe. Au secondaire, il doit se déplacer d'un local à l'autre et il a jusqu'à huit enseignants différents. Comment arrivera-t-on à évaluer correctement les fameuses compétences transversales avec une telle cohue ? Imaginez à quoi peut ressembler l'implantation de la réforme dans une *grosse* école de 2 000 élèves où l'on retrouve plus d'une centaine de professeurs !

---

[111] « Les enseignants préparent la résistance », *Le Devoir*, mardi 10 mai 2005, page A2.

[112] « La réforme au primaire est stoppée », *La Presse*, mercredi 26 octobre 2005, page A1.

[113] « Un immense défi pour le secondaire », *La Presse*, lundi 14 mars 2005, page A3.

Philippe Perrenoud, sur lequel le MELS s'appuie largement pour cautionner le renouveau pédagogique, se montre prudent quant à la démarche québécoise. Il va jusqu'à qualifier les compétences transversales de « concept douteux » et reproche au programme québécois de s'être affaibli en ayant tout transformé en compétences : « Apprendre l'histoire du pays, sa géographie ou ses traditions, ce sont des connaissances, pas des compétences. » Il souligne également que, si on ne procède pas à une refonte en profondeur du système scolaire québécois au secondaire, les problèmes à surmonter seront « insolubles » et cette nouvelle approche pédagogique sera vouée à l'échec. Selon lui, l'enseignement magistral devrait être mis au rancart et on devrait aller de l'avant avec « des plans de travail où chacun progresse à son rythme vis-à-vis de l'objectif ». Il poursuit en indiquant que, pour « gérer la progression des élèves, il faudrait que les professeurs donnent plus qu'une matière, qu'ils enseignent par projet et qu'on casse la grille-horaire hebdomadaire afin de travailler sur des périodes intensives. Tout ça, c'est beaucoup de changements, si bien qu'à Genève, on n'a pas prévu la réforme au secondaire[114]. »

On retrouve aussi ces 15 écoles secondaires québécoises qui ont expérimenté un programme similaire au renouveau pédagogique en 2003-2004 et où les enseignants sont partagés quant à celui-ci. Dans un rapport que le ministère de l'Éducation refusait de dévoiler et que Radio-Canada a obtenu par le biais de la *Loi d'accès à l'information*, on apprend que le bilan de cette expérience est plutôt mitigé. Même s'ils ont suivi plusieurs ateliers de formation, à peine le tiers des enseignants se sent « fortement à l'aise pour appliquer le programme[115] ». Ils pourraient se consoler en lisant ce que l'ex-ministre de l'Éducation Pierre Reid disait de la réforme en juin 2003 : « Nul n'est assez intelligent pour comprendre toute la complexité de la réforme et de son

---

[114] « Plus difficile d'envoyer une fusée sur la Lune », *La Presse*, dimanche 13 mars 2005, cahier Plus, page 1.

[115] « Les profs demandent un autre report de la réforme », *La Presse*, lundi 14 mars 2005, page A1.

évolution. Seul un ensemble d'intelligences en réseau peut arriver à comprendre[116]. »

Pour revenir au bilan du MELS, on y parle d'un « lent début », d'effets bénéfiques sur la motivation des élèves, tout en soulignant néanmoins que le travail demandé était « peu complexe » et que les contenus étaient « souvent détachés des compétences à développer[117] ». Bref, les élèves étaient motivés, mais les apprentissages étaient discutables !

L'une des 15 écoles-pilotes, l'école Sacré-Cœur de Granby, a même arrêté l'implantation du renouveau pédagogique pour revenir aux méthodes plus traditionnelles. « Je n'expérimente plus la réforme parce que je me suis aperçu que les élèves de 12 ou 13 ans ne peuvent pas prendre une aussi grande responsabilité dans leur apprentissage, surtout dans des classes de 34, confiait un prof de sciences et de mathématiques au quotidien *La Presse* en mai 2005. Actuellement, pas grand-chose n'est prêt, les laboratoires n'ont pas été aménagés et on n'a pas de matériel[118]. » Dans d'autres écoles-pilotes, les enseignants semblent assez confiants, mais ils expriment des craintes quant à la fin du redoublement, à la baisse du contenu scolaire et au manque de ressources budgétaires. Dans aucun cas, cependant, on ne parle de développement majeur dans la capacité des jeunes de mieux comprendre ou de mieux maîtriser la matière au programme[119].

Une autre analyse de ces projets-pilotes indiquait également que l'implantation de la réforme au secondaire constituait un « long et patient travail de transformation des pratiques ». Toujours selon cette analyse, on apprend que, même lorsque la formation, l'accompagnement et la concertation sont réunis, ceux-ci « ne génèrent pas automatiquement une appropria-

[116] « Le ministre Pierre Reid défend la réforme scolaire pourtant retardée d'un an », *La Presse canadienne*, jeudi 19 juin 2003.

[117] « Le bilan que le MELS ne voulait pas dévoiler est assez négatif », *La Presse*, vendredi 1er avril 2005, page A7.

[118] « Des milliers de profs demandent de stopper la réforme de l'enseignement », *La Presse*, mardi 10 mai 2005, page A15.

[119] « Des avis partagés chez les profs », *La Presse*, lundi 14 mars 2005, page A2.

tion réussie » de la réforme. On comprend donc qu'il était utopique de penser que les écoles étaient toutes prêtes à appliquer la réforme, si elle est applicable, dans son entier le même jour à la même heure[120].

Enfin, alors que toutes ces écoles-pilotes ont reçu des budgets et des ressources professionnelles pour implanter et pour tester la réforme, celle-ci se fera sans aucun budget additionnel dans l'ensemble du Québec. Comme me l'a confié un directeur d'école : « On la fera avec les moyens du bord ! » Quel contraste avec Pauline Marois, ministre de l'Éducation lors de l'élaboration du renouveau, qui déclarait en mars 2005 : « Dans l'esprit où cette réforme a été pensée, nous savions qu'elle coûterait des sommes supplémentaires[121]. » D'après elle, sans de nouvelles ressources en éducation, « ce qu'on a dans ce nouveau régime ne vaudra même pas ce que valent les mots sur le papier[122] ». Quel contraste également avec l'ex-ministre péquiste de l'Éducation Sylvain Simard qui avait promis en 2003 plus de 41 millions $ en vue de la réforme, un engagement que les libéraux n'ont pas repris quelques mois après leur arrivée au pouvoir. On parle pourtant ici des mêmes libéraux qui, sur un simple appel téléphonique, débloquaient 10 millions $ pour les écoles juives.

Au Québec, on comprend bien que, pour l'instant, rien n'arrêtera le MELS dans son délire pédagogique. Comment établir des plans de travail individualisés dans des classes de français de 32 élèves ? Comment aller de l'avant avec un *renouveau amphigourique* que les enseignants eux-mêmes ne maîtrisent pas ? Comment implanter une réforme complexe alors qu'on est en pleine pénurie d'enseignants et qu'on doit embaucher du personnel non qualifié sur une base temporaire ? Enfin, comment appliquer intelligemment une

---

[120] « L'implantation de la réforme au secondaire ne va pas de soi », *La Presse*, mercredi 30 novembre 2005, page A14.

[121] « Réforme du secondaire : aucun manuel n'est approuvé », *La Presse*, mardi 15 mars 2005, page A1.

[122] « Le PQ appuie plusieurs mesures du nouveau régime pédagogique », *La Presse*, samedi 5 mars 2005, page A13.

réforme que le ministère a lui-même longtemps refusé d'évaluer au primaire?

Le renouveau pédagogique : tout le monde aux canots de sauvetage!

Un autre indice qui montre bien que le *renouveau Titanic* semble conduire tout droit à un échec est le nombre d'enseignants du secondaire désemparés quant à celui-ci et se précipitant vers les canots de sauvetage.

Déjà, l'année dernière, dans ma commission scolaire, j'avais remarqué que la plupart des postes d'enseignants non comblés étaient ceux de la première année du secondaire, année où la réforme s'appliquait finalement à mon école. Je me demandais alors s'il s'agissait d'un hasard ou d'une volonté nette de ne pas être les premiers à aller au front.

Par la suite, la lecture du blogue d'André Chartrand, un enseignant que j'estime être ouvert et honnête quant au renouveau pédagogique, confirmait certaines de mes craintes[123].

On y faisait tout d'abord référence à une lettre écrite par Anne-Marie Quesnel, une enseignante, et qui avait été publiée sur le site Internet du *Devoir* : « Cette année seulement, depuis septembre, six enseignants de la première secondaire sont tombés en congé de maladie dans mon école. Six! Ça, on ne s'en vante pas dans les journaux, que le corps professoral de la première secondaire est en train de tomber, et pas seulement chez nous[124]. »

De plus, M. Chartrand se rappelait une conversation qu'il avait eue avec un collègue : « Dans mon école, 6 des 12 profs de première secondaire ont demandé à être mis à temps partiel (avec la coupure de salaire que cela implique). C'est pas des

---

[123] *Quelques conversations récentes*, http://recit.cadre.qc.ca/~chartrand/index.php?2006/03/26/122-quelques-conversations-recentes, page consultée le 20 juin 2006.

[124] *Théo, Fournier et la réforme*, http://www.ledevoir.com/dossiers/282/102033.html?282, page consultée le 20 juin 2006.

jeunes, là, disait-il, ils ont entre 35 et 45 ans, entre 8 et 15 ans d'expérience. »

Enfin, M. Chartrand se souvenait d'une autre conversation avec un collègue qui lui racontait que, « face à ce qu'ils vivent avec l'implantation de la réforme en première secondaire, plusieurs enseignants d'expérience – 7 à 10 ans – disent qu'ils songent sérieusement à quitter la profession. Dans certains cas, des démarches concrètes de réorientation de carrière ont déjà été entreprises, notamment en s'inscrivant à un programme de formation qui leur permettra, à terme, d'exercer un autre métier. »

Les conséquences de ce mouvement de personnel sont évidentes : il accentue la pénurie d'enseignants qualifiés dans nos écoles et ce sont de jeunes universitaires, pas toujours correctement formés, qui doivent donc appliquer la réforme les premiers.

La conclusion de M. Chartrand quant à ce mouvement de personnel est fort juste et je me permets de la reproduire intégralement : « Car même en admettant la pertinence de la réforme sur le fond, ces témoignages posent la question de sa faisabilité dans le contexte qui, actuellement, caractérise le système scolaire et compte tenu des ressources mises à sa disposition. Autrement dit, mettons-nous les enseignants dans une situation impossible ? »

Le socioconstructivisme à travers le monde

Les difficultés que connaît le renouveau pédagogique québécois ne sont pas uniques. On le constate avec les expériences réalisées dans d'autres pays et dont les journaux ont amplement fait état.

On cite souvent en exemple le succès de la Finlande. Il faut noter que celle-ci est reconnue pour la grande culture de ses citoyens et que l'éducation y est une valeur importante. Ainsi, dans certaines mairies de ce pays, on va jusqu'à donner à tous les couples mariés 100 chefs-d'œuvre de la littérature universelle afin de s'assurer que chaque foyer ait de bons livres.

Il faut aussi savoir que plus de la moitié des écoles primaires et secondaires finlandaises comptent moins de 100 élèves[125].

Outre une meilleure formation des enseignants, un autre facteur qui explique la réussite éducative de la patrie de Saku Koivu est tout simplement le nombre d'élèves par classe. Au secondaire, en Finlande, il s'établit à environ 18 alors qu'au Québec, on en retrouve fréquemment plus de 32 qui sont souvent entassés dans des locaux exigus. En plus du fait que le matériel scolaire et les repas soient gratuits, la qualité de l'encadrement des élèves finlandais en difficulté est également remarquable[126]. On rapporte le cas de cette éducatrice spécialisée qui n'hésite pas à aller chercher les élèves absents à la maison ou à leur faire passer des tests médicaux s'ils sont soupçonnés d'avoir consommé de la drogue[127]. Un éducateur qui agirait de la sorte ici serait immédiatement accusé de harcèlement et traduit en justice.

Comment ce pays en est-il arrivé à offrir une telle qualité d'éducation? Pour Yves Boisvert, chroniqueur au journal *La Presse*, le succès du système d'éducation finlandais est imputable aux Finlandais eux-mêmes et non pas à la réforme qu'ils ont mise de l'avant[128]. Il faut aussi souligner que, dans ce pays nordique, il n'y a ni commission scolaire ni ministère de l'Éducation éléphantesque. On a préféré investir dans les classes et dans les services offerts aux élèves plutôt que dans des structures rigides et coûteuses.

On peut également citer l'exemple de la France où on a adopté une forme de pédagogie similaire à celle qu'on implante actuellement au Québec. Dans son livre intitulé *Et vos enfants ne sauront pas lire… ni compter!*[129], Marc Le Bris,

[125] « Protégez-nous des pédagogues », *La Presse*, lundi 14 mars 2005, page A5.

[126] « Un repas chaud chaque jour », *Le Journal de Montréal*, 5 mars 2006.

[127] « Vos enfants font du socioconstructivisme, le saviez-vous ? », *La Presse*, samedi 12 mars 2005, page A32.

[128] « Protégez-nous des pédagogues », *La Presse*, lundi 14 mars 2005, page A5.

[129] *Et vos enfants ne sauront pas lire… ni compter!*, Marc Le Bris, Éditions Stock, 2004, 402 pages.

enseignant et directeur d'école, n'est pas tendre à l'égard de tout ce qui s'appelle socioconstructivisme. Il faut dire que les parallèles qu'on peut établir entre les réformes québécoise et française sont inquiétants : incompétence des enfants en lecture et en écriture, non-redoublement des élèves pourtant très faibles, coercition pédagogique à l'encontre des enseignants qui constatent l'échec en classe des pratiques imposées par le ministère et qui retournent à l'enseignement traditionnel, pédagogie par projet stérile et inefficace, négation du rôle traditionnel de l'enseignant… La liste est longue.

De plus, comment peut-on passer sous silence ce livre intitulé *Échec scolaire et réforme éducative*[130] ? Cette publication a soulevé plusieurs débats houleux dans le petit monde de l'éducation. En analysant les systèmes scolaires de la Suisse, de la Belgique, du Royaume-Uni et de plusieurs États américains, les auteurs de cet ouvrage en sont venus à la conclusion que les systèmes d'enseignement centrés sur l'élève (semblables à celui que préconise le renouveau pédagogique au Québec) sont moins performants que ceux centrés sur un enseignement dit explicite. « L'analyse que nous avons menée révèle que des propositions pédagogiques analogues à celles qui sous-tendent la réforme québécoise ont conduit à l'augmentation du taux d'échec des élèves dans les systèmes scolaires où elles ont été implantées », affirment-ils dans une lettre au quotidien *Le Devoir*[131]. Bien sûr, on peut faire dire ce qu'on veut à des chiffres et à des études mais, non sans ironie, ce livre a le mérite de souligner que le gel que les jeunes élèves québécois se mettent dans les cheveux chaque matin a subi plus de tests et d'analyses scientifiques que le système d'éducation dans lequel ils évoluent[132].

On retrouve enfin l'exemple classique de la Suisse. En fait, pour être plus précis, seules 230 écoles primaires du canton de Genève auraient tenté de revoir leurs méthodes d'enseignement.

[130] *Échec scolaire et réforme éducative*, Steve Bissonnette, Mario Richard et Clermont Gauthier, Les Presses de l'Université Laval, 2005, 104 pages.

[131] « L'école : virage ou dérapage », *Le Devoir*, mercredi 23 février 2005, page B4.

[132] *Échec scolaire et réforme éducative*, page 86.

Après 10 années de cette nouvelle pédagogie, le ministre de l'Éducation de ce canton, Charles Beer, a constaté que 20 % des 20550 élèves dont il a la responsabilité sont toujours en difficulté. Ce dernier a bien été forcé d'admettre que la « rénovation » (terme employé pour désigner cette réforme) a eu peu d'effet sur l'échec scolaire. « On a oublié d'évaluer suffisamment la réforme », a-t-il avoué candidement.

Une étude a même démontré qu'après deux ans de cette *rénovation*, des écoles, qui présentaient autrefois des résultats meilleurs que les autres, avaient maintenant des résultats moins bons que des écoles dites traditionnelles[133]. Bref, le canton de Genève est revenu aux notes, aux évaluations traditionnelles et au redoublement. Bien évidemment, le MELS s'est rapidement empressé de prendre ses distances avec cet échec genevois. Pourtant, faut-il le souligner, le Québec s'est beaucoup inspiré de ce qui s'est fait dans ce coin du monde. Fait surprenant, on relève qu'en Suisse, on avait justement utilisé l'exemple québécois pour aller de l'avant avec cette réforme scolaire.

En juin 2005, le ministre de l'Éducation, Jean-Marc Fournier, s'est rendu en Suisse afin de discuter de pédagogie avec son homologue Charles Beer. À ce jour, aucun élément d'information n'a transpiré de cette rencontre. Tout au plus, à propos de la situation au Québec, le ministre confiait-il au quotidien genevois *Le Temps* : « Les parents sont en manque de repères et doivent être mieux informés. Les inquiétudes que provoque le renouveau pédagogique chez les enseignants ressemblent aussi beaucoup à ce que vous connaissez. D'où la nécessité de bien les former[134]. » On attend encore qu'il agisse à ce sujet.

Le renouveau pédagogique et son impact sur le français au secondaire

La réforme aura des conséquences plus directes encore sur l'enseignement du français au secondaire. En effet, le temps

[133] « L'échec de la réforme en Suisse », *La Presse*, dimanche 13 mars 2005, cahier Plus, page 1.

[134] « Le cafouillage suisse », *Le Soleil*, samedi 3 septembre 2005, page A6.

alloué au français risque d'être réduit à la fois par la pédagogie par projet et par la réalisation de projets interdisciplinaires. Dans mon école, un de mes collègues en histoire s'imagine qu'avec la réforme, les jeunes écriront des textes sur la Révolution tranquille dans le cadre de mon cours et qu'il me laissera, en plus, la correction des fautes ! D'autres enseignants croient aussi qu'on fera lire durant les cours de français des textes informatifs sur les MST pour intégrer l'enseignement de la sexualité à ma matière. Et je ne parle pas de ces tenants de l'école *orientante* qui salivent déjà en pensant à l'utilisation de mon temps d'enseignement pour aider les élèves à choisir le bon métier. Bref, pour certains, avec la réforme, le français devient la matière fourre-tout par excellence. Au fond, il y a de quoi se réjouir : à défaut d'accorder correctement leurs participes passés, les élèves développeront leur culture latine en sachant peut-être écrire les mots *syphilis* et *curriculum vitae.*

Plus encore, le renouveau pédagogique amène avec lui une refonte du programme d'enseignement du français, la deuxième à laquelle je serai confronté au cours de ma courte carrière d'enseignant. L'ancien programme aura duré finalement moins de dix ans et les manuels achetés au coût de 100 $ par élève iront probablement au recyclage. Alors que le réseau de l'éducation manque de ressources suffisantes pour assurer véritablement la réussite des élèves, il s'agit d'un gaspillage inadmissible des fonds publics.

Toujours à propos du nouveau programme de français, les échos que nous pouvons lire dans les médias sont plutôt défavorables. Dans une lettre adressée au ministre de l'Éducation, une trentaine de spécialistes de l'enseignement du français provenant de toutes les universités francophones du Québec déploraient l'« improvisation » qui prévalait lors de l'élaboration du programme de français du premier cycle du secondaire. Suzanne-G. Chartrand, professeure à la Faculté des sciences de l'éducation de l'Université Laval, estimait que celui-ci constitue « un effroyable fourre-tout rempli d'approximations et d'erreurs, notamment en ce qui concerne l'enseignement de la compréhension de la lecture et de la communication orale ».[135] De plus, elle considérait que les compétences langagières reliées à la grammaire constituaient un aspect réduit de ce programme. On qualifiait également les objectifs visés d'irréalistes et dénonçait qu'ils donnent à penser que le programme est plus exigeant alors qu'il n'en est rien. Par exemple, un élève de première ou de deuxième secondaire doit rien de moins que « se projeter comme locuteur dans la francophonie ».[136] Enfin, ces universitaires reprochaient également au MELS la façon dont les consultations étaient menées : peu de préparation, peu de suivis. Et un fait qui ne surprendra personne : les universitaires les plus critiques pensent même qu'ils ont été volontairement tenus à l'écart de celles-ci.[137]

Par ailleurs, le bulletin envoyé aux parents est plutôt flou quand il s'agit d'évaluer les compétences en français. Ainsi, dans mon école, en première secondaire, l'élève obtient la cote 1 s'il répond presque toujours aux exigences d'exécution et de production des tâches; la cote 2, s'il y répond généralement; la cote 3, s'il y répond à l'occasion; et la cote 4, s'il y répond rarement. Outre d'être surpris par l'emploi d'un vocabulaire tenant du taylorisme, on peut se demander quelle différence il existe entre *à l'occasion* et *rarement*. En effet, *Le Grand Druide des synonymes* considère que *rare* est un synonyme d'*occasionnel*. Disons que la cote 3 signifie que l'élève est en difficulté et la cote 4 qu'il est en grande difficulté. On remarquera que le mot *échec* n'existe plus dans cette forme d'évaluation, tout comme le mot *redoublement* d'ailleurs… Étant donné que le jugement que l'on peut porter sur une compétence peut varier d'un enseignant à l'autre, on voit ici tout le danger de cette forme de notation. De plus, quelle importance accordera-t-on à chacun des volets où l'élève est évalué? Par exemple, avant la réforme, l'expression orale ne représentait souvent que 20 % du résultat de l'année d'un élève. Quelle proportion occupera-t-elle dorénavant?

---

[135] « Des lacunes toujours à corriger », *Le Devoir*, mercredi 10 mai 2005, page A2.

[136] «Les programmes de français : du chinois! » *Le Soleil*, 23 mars 2006.

[137] « Péril en la demeure », *Le Devoir*, samedi 1er février 2006, page A1.

Finalement, toujours concernant l'enseignement du français, l'année dernière, une collègue de première secondaire est venue me voir, désemparée, avec des rédactions d'élèves fraîchement arrivés dans notre école. « De toute ma carrière, je n'ai jamais vu autant d'élèves aussi faibles et aussi peu préparés à la réalité du secondaire », m'a-t-elle confié. Constat similaire pour un enseignant de mathématiques qui m'expliquait que certains élèves n'arrivaient tout simplement pas à lire et à comprendre le projet qui leur était proposé. Avec le non-redoublement et l'enseignement par cycle, ces élèves iront malgré tout en deuxième secondaire. De là, selon le laxisme des évaluations qu'ils auront à subir, la porte du deuxième cycle du secondaire leur sera grande ouverte et ils arriveront dans mes classes. Vive la réussite du plus grand nombre même si les élèves ne savent ni lire ni écrire correctement !

Le renouveau pédagogique en difficulté : c'est pas moi, je le jure !

À la lumière de tous ces faits concernant le renouveau pédagogique, on a raison d'être craintif et de s'interroger sur les conséquences qu'aura ce dernier sur les élèves du secondaire, notamment en français. À moins de trafiquer toutes les évaluations que subiront ces derniers au cours des prochaines années, le MELS devra se rendre à l'évidence un jour ou l'autre : cette réforme ne tient pas ses promesses.

Compromis politique hasardeux quant à l'évaluation, manque de ressources et de formation, dérives d'enseignants bien intentionnés mais mal conseillés, personnel parfois non qualifié et embauché sur une base temporaire, implantation d'un nouveau programme en parallèle avec l'imposition par décret d'une convention collective démotivante, absence d'un véritable consensus social autour de sa justification et de sa légitimité, le renouveau creusera sa propre tombe parce qu'il aura vu trop grand avec trop peu de moyens.

Lorsqu'on prend le temps de bien l'analyser, on comprend que cette réforme constitue non pas seulement un changement majeur en éducation, mais également un projet de société aussi important que celui proposé par le rapport Parent dans les années 1960. D'ailleurs, certains des partisans du renouveau s'apparentent parfois à des soixante-huitards ou à des *baby-boomers* nostalgiques tant dans leurs valeurs que dans leur argumentation.

Plusieurs objectifs de ce changement pédagogique sont nobles et idéalistes, mais totalement irréalisables à une échelle aussi grande que le Québec. Aussi commence-t-on à sentir qu'il faut trouver des boucs émissaires pour expliquer le dérapage. Et ils sont tout trouvés : ce sont les enseignants qui ont boycotté les formations sur le renouveau... ce sont les journalistes qui ne rapportent que les mauvaises nouvelles et qui sont bourrés de préjugés... Quant à moi, le monde politique et une gestion déficiente en auront plus fait pour tuer la réforme que ses propres détracteurs.

N'en jetez plus : la cour est pleine !

Finalement, comme si tous les changements, réformes et renouveaux n'avaient pas suffi, depuis quelques années, la tâche des enseignants de français au secondaire s'est alourdie, non seulement à cause de leurs conditions de travail difficiles, mais aussi à cause de certaines décisions navrantes du MELS.

Ainsi, dans le cadre des négociations entourant le dossier de l'équité salariale, les syndicats et le gouvernement se sont livré un véritable bras de fer où chacun s'est mis à évaluer le nombre d'heures travaillées par les enseignants. Résultat : parce que certains de mes collègues sont des Bougons de l'éducation, le gouvernement a tenu à ce que tous fassent un minimum d'heures de présence à l'école. Pour plusieurs enseignants de français, il est tout simplement impossible de corriger dans des bureaux communs à aire ouverte où l'on retrouve parfois plus de 15 enseignants de différentes matières. Ils le font donc à la maison en plus du temps de présence obligatoire à l'école. Quand on sait qu'en cinquième secondaire, il faut un minimum de 15 heures pour corriger les productions écrites d'un seul groupe, on comprend que les semaines sont parfois longues et que les journées se terminent tard.

Un autre exemple tout banal de l'inconscience du ministère : il a modifié l'examen unique d'écriture de cinquième secondaire en ajoutant, on le verra, un cahier de préparation remis aux élèves, ce qui a obligé les enseignants à vérifier toutes les sources et toutes les citations que ceux-ci utilisent dans leur texte lors de pratiques en classe. Évidemment, aucun temps supplémentaire n'a été reconnu en ce qui a trait à la correction… « Faire plus avec encore moins » : voilà la devise la plus fréquemment utilisée en enseignement.

Mais, de toute façon, il faut savoir que le ministère ne semble pas avoir une bonne idée du temps qu'il faut pour corriger un examen. En juin 2003, pour un groupe de 32 élèves, il évaluait à environ trois heures le temps nécessaire pour corriger un examen de lecture comprenant 39 éléments de réponses, évaluer la qualité de la langue utilisée et compter les points. Mes collègues et moi n'en revenions tout simplement pas tellement ce chiffre était ridicule ! Dans les faits, pour effectuer un travail de qualité, il faut en compter au moins le double.

Inévitablement, on comprend un peu plus pourquoi le nombre de cas d'épuisement professionnel est à la hausse en éducation. Comme un bon enseignant de français est un enseignant vivant et dynamique, plusieurs membres de mon entourage ont revu à la baisse leurs attentes à l'égard de leurs élèves parce qu'ils n'arrivaient plus à évaluer correctement le travail qu'ils leur demandaient.

Sisyphe à l'école

Malgré tous ces constats, tous ces *pédocrates*, tous ces comptables, toutes ces révolutions pédagogiques, le plus ironique et le plus tragique, lorsqu'on discute avec des enseignants d'expérience, c'est que ceux-ci savent que le monde de l'éducation vit par cycle. Selon eux, d'ici 10 ans, on s'apercevra fatalement que toutes les réformes entreprises actuellement ne menaient à rien. Et, d'ici 15 ans, on instaurera un nouveau système d'enseignement *à saveur améliorée* afin de corriger les lacunes du précédent. Et les plus cyniques d'ajouter que cette volonté de changer pour changer sera encore plus grande si le ministre de l'Éducation du moment tient à laisser sa marque dans la petite histoire politique du Québec comme ce fut le cas de Pauline Marois.

Jamais, cependant, faut-il ajouter, on n'aura donné ni le temps ni les moyens aux enseignants de digérer tous ces changements. Et ceux-ci, comme dans le mythe de Sisyphe, auront roulé leur pierre au sommet de la montagne pour la voir redescendre aussitôt…

Un petit rappel historique peut d'ailleurs nous montrer à quel point l'histoire se répète. Ainsi, en 1943, on assistait à la mise en place de la *Loi sur la fréquentation scolaire obligatoire*. Seulement, celle-ci se heurtait à certaines difficultés. Par exemple, les nouveaux programmes pédagogiques qui visaient à « tenir les élèves si intéressés au travail scolaire qu'ils ne veuillent pas manquer un seul jour de classe par leur faute » n'étaient malheureusement pas encore prêts. De plus, les principes pédagogiques retenus par ce renouveau pédagogique n'atteignaient pas les écoles à cause du « manque de ressources et de connaissances des maîtres ». Par ailleurs, avec les salaires plus avantageux que versaient les industries de guerre, le réseau de l'éducation québécois était aux prises avec une pénurie alarmante d'institutrices qualifiées. Ce ne fut finalement qu'en 1947 que le nouveau programme fut officiellement mis en vigueur, mais on nota un retard dans la publication des manuels reliés à cette nouvelle philosophie pédagogique. Enfin, plusieurs professeurs ne comprenaient pas encore l'utilité de « procéder lentement et sûrement, avec des quantités concrètes, dans des situations bien connues des enfants[138] ».

Au fond, on n'arrête jamais de perturber le système d'éducation au Québec, comme si le changement n'apportait que du bon. On ne lui permet jamais de trouver un point d'équilibre. Et si une partie de la solution consistait simplement à laisser les enseignants enseigner ? « L'éducation est une chose trop grave pour être laissée aux gens des sciences de l'éducation », a

[138] *Aux origines de l'État-providence*, Dominique Marshall, Les Presses de l'Université de Montréal, 1998, pages 92, 93, 94 et 100.

déjà écrit l'universitaire Jean Larose[139]. Imaginez si, en plus, ces derniers sont accompagnés d'une pléthore de comptables et de décideurs ministériels...

Il est surprenant que personne n'ait cloué au pilori les *pédocrates* du MELS et certains universitaires des facultés des sciences de l'éducation qui, année après année, depuis 40 ans, perpétuent la culture de l'échec au Québec. Pour citer l'auteur dramatique français Tristan Bernard, il ne fait aucun doute que, sous la gouverne de ces éternels utopistes, « l'ignorance ne cesse de faire des progrès. » Et il faut voir avec quelle énergie désespérée et désespérante ils refusent de se remettre en question et proposent des solutions novatrices à des situations reliées à des systèmes soi-disant modernes qu'ils ont pourtant eux-mêmes créés. Comme l'écrivait si justement une de mes élèves : « On n'arrête pas d'améliorer le problème ! »

[139] « Le vertige en héritage » *Main basse sur l'éducation*, Jean Larose, éditions Nota Bene, 2002, page 82.

3- La comédie de la réussite

Au ministère de l'Éducation, le mot d'ordre est *la réussite du plus grand nombre*, peu importe si les élèves maîtrisent ou non leur langue maternelle. Cette volonté évidemment politique est perverse et les résultats ronflants de nos élèves ont permis aux différents ministres qui se sont succédé à la barre du MELS[140] de s'enfler d'orgueil telle la grenouille de la fable de Jean de La Fontaine. Avec un certain sourire, on peut constater qu'elle n'est pas si lointaine l'époque de Maurice Duplessis où on osait affirmer, sans rire, que le Québec possédait le meilleur système scolaire du monde.

En ce qui concerne l'enseignement du français, les fonctionnaires du ministère sont constamment tiraillés entre cette volonté politique de réussite fictive à tout prix, leur professionnalisme et la pression populaire à l'effet que les jeunes finissants du secondaire ne maîtrisent pas leur français de façon convenable. Comme de véritables magiciens de la docimologie, ils doivent donc se livrer à différents tours de passe-passe pour rendre les évaluations plus exigeantes tout en s'assurant de faire échouer le moins d'élèves possible. À ce sujet, à une professeure d'université qui plaidait pour plus de sévérité dans la correction des examens de production écrite à la fin du secondaire et du collégial, le MELS a simplement répondu que « ce serait l'hécatombe[141] ». Comme si la piètre qualité du français des finissants n'était pas déjà une hécatombe en soi !

Il existe plusieurs acteurs dans cette comédie de la réussite, mais ils ont tous en commun cette volonté de favoriser le succès du plus grand nombre d'élèves possible même si les apprentissages de ces derniers sont incomplets ou insuffisants.

---

[140] Neuf ministres se sont succédé à la barre du MELS depuis les 14 ans que je suis enseignant, soit Jean-Marc Fournier, Pierre Reid, Sylvain Simard, François Legault, Pauline Marois, Jean Garon, Jacques Chagnon, Lucienne Robillard et Michel Pagé. Un bel exemple de stabilité, on en conviendra !

[141] « Qui a peur de la méchante grammaire? », *Le Soleil*, samedi 23 octobre 2004, page D1.

Resserrons sans trop resserrer

Dans une pseudo-volonté de resserrer les critères de réussite du cours de français, le MELS a adopté en 2002-2003 une mesure qui oblige les élèves de cinquième secondaire à obtenir minimalement 50 % dans chacun des trois volets enseignés (écriture, lecture et oral) tout en maintenant une note globale minimale de 60 %[142]. Cette mesure, rappelons-le, ne s'applique pas aux autres années du secondaire. Néanmoins, advenant le cas malheureux d'un élève échouant au volet oral, par exemple, ce dernier pourra toujours compter, comme certains collègues me l'ont confié, sur la complaisance d'une direction d'école qui s'assurera qu'il ne soit tout simplement pas recalé.

Officiellement, on peut donc penser que l'époque où un élève réussissait en français alors qu'il ne maîtrisait pas les rudiments du code grammatical et de l'orthographe est révolue. Or, rien n'est moins vrai. N'importe quel enseignant vous le dira : à moins qu'il y mette du sien, il est peu fréquent qu'un jeune ait moins de 50 % en écriture. Encore aujourd'hui, il peut échouer au volet écriture mais, malgré tout, recevoir son diplôme d'études secondaires parce qu'il se débrouille plutôt bien en lecture et lors des exposés oraux.

Par ailleurs, si on se livre à quelques calculs peu savants, on découvre que la maîtrise de la syntaxe, de la ponctuation, de la grammaire et de l'orthographe en français n'équivaut environ qu'à 34 % de la note globale de l'année de l'élève ! La lecture, l'expression orale et écrite ainsi que le vocabulaire remportent le morceau.

Au Québec, on peut finalement obtenir son diplôme d'études secondaires sans maîtriser correctement le code grammatical. Comme le dit fort à propos une de mes collègues : « C'est un peu comme si on pouvait réussir ses maths sans savoir compter... »

---

[142] *Document d'information*, http://www.MELS.gouv.qc.ca/DGFJ/de/pdf/2006/flesec0607.pdf, page 6, document consulté le 20 juin 2006.

Un examen appelé *passoire*

Depuis sa création en 1987, l'examen unique de production écrite de français de cinquième secondaire du MELS ne cesse de soulever des débats. À peu près tous les termes péjoratifs du dictionnaire ont servi à qualifier cette évaluation qui vise à mesurer la maîtrise du français écrit d'un finissant : maquillage, fraude intellectuelle, évaluation bidon…

Cet examen final consiste à rédiger un texte argumentatif d'environ 500 mots. L'élève s'y prépare en lisant un recueil de textes et en transcrivant sur une feuille de notes les passages qu'il juge les plus pertinents pour soutenir son point de vue. La note de ce dernier se divise comme suit : 50 % pour les idées; 5 % pour le vocabulaire; 25 % pour la syntaxe et la ponctuation; et 20 % pour la grammaire et l'orthographe.

Si on a voulu s'assurer, à juste titre, de mesurer de façon uniforme la maîtrise du français de tous les finissants du secondaire, la façon d'y parvenir est loin de faire l'unanimité. Surtout lorsque, comme il l'a fait en mai 1993, le ministère a effectué lui-même une erreur grammaticale dans la grille de correction qu'il a remise aux élèves en écrivant que ceux-ci devaient employer des termes « précis et varié (*sic*) ». Le plus ironique était que, cette année-là, l'un des sujets soumis aux élèves consistait à savoir s'il fallait pénaliser les fautes de français dans les examens[143]…

Au fil des années, de nombreux enseignants ont écrit dans les journaux pour dénoncer le manque de rigueur de l'examen ministériel de français au secondaire, dont le taux de réussite dépasse les 85 %. Comme eux, dans une lettre ouverte parue en mars 1999 dans le journal *Le Devoir*, j'ai tenté d'expliquer à mon tour comment un élève ne possédant pas des habiletés langagières suffisantes pouvait aisément réussir cette évaluation. Aucune réaction.

Il a fallu attendre jusqu'en mars 2001 pour que la pression populaire et médiatique atteigne un sommet alors qu'en première page du journal *Le Devoir*, on pouvait lire le titre

[143] « La poutre dans l'œil », *Le Devoir*, mardi 22 juin 1993, page B1.

suivant : « L'examen de français du ministère : une fumisterie ». Dans cet article, on expliquait comment, en exploitant les failles de l'examen, les finissants du secondaire pouvaient réussir cette évaluation sans trop de difficulté. On donnait l'exemple d'un élève dont le texte comportait quelque 200 fautes d'orthographe. Ce jeune homme avait passé son examen d'écriture du ministère avec 71 % parce qu'il excellait en argumentation et en ponctuation. À l'époque, la grammaire et l'orthographe comptaient pour 20 % de cette évaluation. Pour se mériter zéro, l'élève devait avoir commis 22 fautes ou plus : qu'il en ait fait 22 ou 200 ne changeait donc strictement rien à sa note finale[144]. Il importe de préciser que, lors de cet examen, le jeune avait pourtant droit à la plupart des ouvrages de référence possibles : grammaire, dictionnaire, dictionnaire des synonymes, guide de conjugaison…

Certains de mes élèves faibles avaient bien remarqué cette faille. Aussi se concentraient-ils généralement sur le contenu de leur texte et sur la ponctuation pour réussir cet examen au-delà de toutes leurs espérances.

La réaction du ministère à cet article du *Devoir* fut immédiate. Dès le lendemain, le sous-ministre de l'Éducation, Robert Bisaillon, le même qui a piloté le renouveau pédagogique, tempêtait : « On laisse entendre que l'examen est une passoire et ce n'est pas vrai. Nous ne faisons pas la promotion du laisser-aller. » Ce dernier avait cependant été obligé de reconnaître publiquement que l'examen recelait une faille importante quant à l'orthographe et à la grammaire[145]. « Est-ce qu'on ne devrait pas établir des seuils en deçà de quoi il n'y a pas de réussite possible? », se demandait-il. Cependant, comme pour atténuer la portée de tout ce qui avait été révélé à propos des lacunes importantes de cette épreuve, le sous-ministre soulignait que l'examen final de français ne comptait

[144] « L'examen de français du ministère : une fumisterie », *Le Devoir*, jeudi 1er mars 2001, page A1.

[145] « La faille n'est pas intentionnelle, dit le ministre de l'Éducation », *Le Devoir*, vendredi 2 mars 2001.

que pour un quart de la note finale des élèves en français et qu'il ne fallait pas en faire tout un plat[146].

Je me rappelle avoir éprouvé alors de sérieux doutes quant à la volonté de changement du MELS puisque le sous-ministre utilisait là un argument similaire à celui de mes élèves pour ne pas travailler plus fort qu'il ne le faut en classe. Aussi, pour alimenter la réflexion de nos décideurs politiques et du public, je me suis naïvement mis à la plume pour rédiger une longue lettre qui fut publiée dans *Le Devoir* du 17 mars 2001. Dans ce texte intitulé « De l'omerta à la vérité », je pointais du doigt toutes les failles de l'examen unique de production écrite et elles étaient nombreuses[147] ! Cependant, hormis qu'on ait modifié la grille de correction de celui-ci afin de la rendre soi-disant plus sévère, rien n'a été fait depuis. Les autres failles, que j'avais soulevées dans ma lettre et dont je traiterai plus loin, existent toujours et les élèves les utilisent allégrement.

Une grille de correction plus sévère ?

Ne reculant pas devant un certain illogisme, les fonctionnaires du MELS ont créé pour l'examen de mai 2003 une nouvelle grille de correction où, dans le cas des trois premiers critères, un élève qui obtient la cote la plus élevée ne pourra mériter que 47 sur 50[148]. Impossible pour lui de décrocher une note parfaite ! Il est vrai que la perfection n'est pas de ce monde, mais comment motiver l'élève à l'atteindre si même le ministère ne la reconnaît pas formellement ?

Également, depuis mai 2005, les bonzes du MELS ont instauré un seuil de réussite quant à l'orthographe et à la

[146] « Une importance accrue sera accordée à l'orthographe et la grammaire », *La Presse*, 2 mars 2001, page A5.

[147] « De l'omerta à la vérité », *Le Devoir*, samedi 17 et dimanche 18 mars 2001, page A13.

[148] *Grille d'évaluation de la compétence à écrire - texte argumentatif*, http://www.MELS.gouv.qc.ca/DGFJ/de/pdf/flm5_grille03.pdf, page 17, document consulté le 20 juin 2006.

grammaire. « C'est un message clair que nous envoyons », indique Linda Drouin, responsable de l'évaluation du français à la Direction générale des jeunes, qui croit ainsi qu'il n'y aura plus d'échappatoire possible pour les élèves qui éprouvent des difficultés en français[149]. Si on lit le document d'information sur cette épreuve, on demeure malgré tout un peu sceptique puisque, dans les faits, on apprend que, « selon cette mesure, les textes comportant 35 erreurs ou plus en orthographe seront examinés attentivement. Les élèves qui font des erreurs dont la fréquence, compte tenu de la longueur du texte, et la gravité sont jugées inacceptables à la fin des études secondaires perdront tous les points attribués à la composante respect du code linguistique (50 p. 100 de la note à l'épreuve)[150]. »

Il faut cependant savoir que 35 fautes pour un texte de 500 mots, c'est l'équivalent d'une faute aux quatorze mots. On resserre encore une fois sans trop resserrer. La preuve : seulement 2 % des élèves ont échoué à l'épreuve ministérielle à cause de cette mesure. C'est à se demander si les docimologues du ministère n'ont pas établi ce seuil en constatant que peu d'élèves franchissaient ce cap des 35 fautes.

Dans les faits, ce qu'on a appris par la suite dans les journaux, c'est que le MELS a effectivement procédé à des simulations avant de hausser ses exigences quant à l'examen d'écriture afin de s'assurer qu'elles n'aient pas une incidence trop grande sur les taux de réussite. Quand un journaliste demande si on ne donne pas ainsi l'impression que ce sont les taux de réussite plutôt que le niveau souhaitable de maîtrise de la langue qui guident les choix du ministère, Lise Ouellet, responsable du programme de français au primaire et au secondaire, répond : « Il y a une responsabilité sociale quelque part[151]. »

---

[149] « Le MELS resserre la correction de l'examen de français de 5e secondaire », *La Presse*, jeudi 30 mai 2002, page A1.

[150] *Document d'information,* http://www.MELS.gouv.qc.ca/DGFJ/de/pdf/2006/fle-sec0607.pdf , page 6, document consulté le 20 juin 2006.

[151] « Le MELS procédera à des simulations », *La Presse*, vendredi 16 mars 2001, page A5.

À l'époque, on n'excluait pas d'être plus exigeant quant aux grilles de correction utilisées à d'autres niveaux du secondaire pour les examens d'écriture, mais l'idée ne semble pas avoir été retenue, pour le grand malheur des enseignants de français de cinquième secondaire qui voient encore arriver dans leurs classes des élèves présentant de graves difficultés langagières et dont ils doivent corriger les textes de façon plus stricte.

L'examen d'écriture ministériel est donc actuellement la seule évaluation de tout le primaire et de tout le secondaire à avoir un tel seuil de réussite. Dans tous les autres cas, l'élève peut encore faire autant de fautes qu'il le désire et voir son texte couronné de succès. Ainsi, j'ai vu une grille de correction conçue par une maison d'édition et une autre conçue par une commission scolaire où il était impossible d'attribuer la note 0 à un élève même s'il avait fait plus de 50 fautes d'orthographe dans un texte de 350 mots. On constate donc que, pour le MELS, la maîtrise de la langue est un concept à géométrie variable : on tolère que vous soyez analphabète fonctionnel de la première à la quatrième secondaire, mais sachez écrire un peu mieux en cinquième !

Pour ceux qui craindraient que la rigueur entraîne un taux d'échec plus élevé, je soulignerai que je suis généralement beaucoup plus sévère que le ministère dans mes évaluations, ce qui, soit dit en passant, n'est pas très difficile. Par contre, je ne me contente pas bêtement de hausser les standards : je m'assure d'offrir – bénévolement – aux élèves le temps et les ressources nécessaires à leur réussite. Résultat : la majorité de mes élèves sentent le besoin d'assister à de la récupération hors classe et, par un phénomène pédagogique incroyable dont ne parle pas la réforme, leur nombre de fautes diminue radicalement. « On se grouille parce qu'on sait que ça ne sera pas facile », m'a confié l'un d'eux. C'est d'ailleurs l'un des plaisirs d'enseigner en cinquième secondaire : les élèves sont soit plus craintifs soit plus motivés et ils savent qu'ils ne pourront pas se reprendre l'année suivante… Le problème, cependant, c'est qu'ils traînent avec eux des années où ils ont été évalués de façon permissive et où ils n'ont pas senti la nécessité de bien écrire ni de bien parler la langue française.

Quoi qu'il en soit, il ne faut pas se leurrer. Même s'il est plus exigeant sur certains critères, le MELS a pris bien soin de se montrer plus souple sur d'autres afin de s'assurer de minimiser le nombre d'échecs. Après tout, on ne peut couler tous les élèves qui ne maîtrisent pas leur langue maternelle! Ainsi, depuis mai 2001, on enlève seulement un demi-point par erreur de ponctuation au lieu d'un point. De plus, le commun des mortels qui serait tenté de croire qu'une faute orthographique ou grammaticale entraîne nécessairement la perte d'un point est dans l'erreur. La grille de correction est conçue de telle façon qu'il faut parfois deux fautes pour perdre un point. Par exemple, un élève dont la copie contient huit fautes aura malgré tout 16 sur 20 en orthographe et grammaire[152].

En outre, les directives que doivent suivre les correcteurs comprennent aussi plusieurs cas qui évitent à l'élève d'être pénalisé. Par exemple, pour le MELS, la correction « ne devrait pas se réduire au seul comptage des erreurs, mais prendre en compte leur nature, leur récurrence, la complexité des phrases, la longueur du texte, etc. »[153] Il faut donc être décidément très malchanceux pour dépasser le total de 35 fautes de grammaire et d'orthographe.

Enfin, relevons un dernier exemple de la largesse du ministère : depuis mai 2004, le MELS a décidé d'augmenter de 15 minutes le temps accordé à l'examen. La durée totale de celui-ci est passée alors de 3 h 15 à 3 h 30. Un petit quart d'heure qui a rempli certains élèves de bonheur… puisqu'ils ont ainsi plus de temps pour corriger leur texte.

Pour toutes ces raisons, il est donc un peu futile de comparer les résultats des finissants de l'année scolaire 1999-2000 avec ceux de l'année 2004-2005, par exemple, puisque l'examen ministériel a été modifié tant dans sa forme que dans sa façon d'être corrigé. Mais au-delà de ce constat, ce qu'il faut se

---

[152] *Grille d'évaluation de la compétence à écrire – texte argumentatif*, http://www.MELS.gouv.qc.ca/DGFJ/de/pdf/flm5_grille03.pdf, page 17, document consulté le 20 juin 2006.

[153] *Document d'information, français, langue d'enseignement de cinquième année du secondaire*, MELS, 2005, page 19.

rappeler, c'est que, malgré tous ces changements, malgré tous ces accommodements pédagogiques, les élèves n'ont en fait effectué aucun véritable progrès en termes de maîtrise de la langue depuis des années.

La réussite selon le MELS

Si l'on veut comprendre pourquoi l'examen ministériel est laxiste, il faut s'attarder à la philosophie qui règne dans les officines ministérielles. Ainsi, dans un article publié en août 1997, Mireille Brunet, responsable de l'épreuve de français écrit de cinquième secondaire, affirmait qu'il importait de ne pas nuire au cheminement scolaire de certains élèves qui éprouvaient des difficultés depuis le primaire et qui seraient enclins au décrochage à la suite d'un échec : « Il y en a parmi eux qui opteront pour les métiers techniques, et pour qui l'examen n'est qu'une étape de parcours. C'est une responsabilité sociale que de ne pas les décourager[154]. » Pourtant, le but du cours de français est d'enseigner cette langue, à ce que je sache, pas de s'assurer de former des plombiers ou des mécaniciens.

De même, en avril 2000, alors qu'une réflexion était en cours sur la qualité du français des jeunes au secondaire, Lise Ouellet, responsable du programme de français au primaire et au secondaire, déclarait qu'il ne fallait pas accorder une importance « démesurée » à la maîtrise des notions de base du français. « Il faut éviter de se lancer dans une chasse aux sorcières. Les fautes, ce n'est pas la seule chose qui compte dans un texte », confiait-elle en affirmant qu'il existait dans la communauté francophone une obsession quasi maladive pour les fautes contrairement à la communauté anglophone[155]. Voilà qui donnera raison à mes élèves qui m'expliquent depuis des années que l'anglais est plus facile à apprendre : les fautes y seraient moins importantes !

---

[154] « Avec la recette, n'importe qui peut réussir l'examen de français », *La Presse*, samedi 16 août 1997, page A21.

[155] « La maîtrise du français, une priorité de la réforme », *La Presse*, dimanche 16 avril 2000, page A6.

On peut se demander malgré tout si cette volonté, discutable mais compréhensible, de ne pas nuire à des élèves n'entraîne pas aussi automatiquement une baisse des exigences pour les autres. Dans une lettre aux lecteurs, un finissant du secondaire y allait du commentaire suivant : « C'est bien beau que le ministère laisse des chances, mais une chance aussi facile est aberrante[156]. »

Les retombées d'une telle façon de penser ont également un impact négatif sur le travail et la motivation des enseignants. En effet, comment feront-ils pour amener un élève à répondre à certaines exigences si ce dernier sait qu'il réussira de toute façon à la fin de l'année parce que la correction de l'examen de production écrite est trop permissive ? Comment conserveront-ils le feu sacré si, au fond, le MELS semble bien *se sacrer* de la qualité du français ?

Les autres failles de San Andreas

Si on ne peut qu'être d'accord avec le fait qu'il n'existe pas d'évaluation parfaite en éducation, il n'en demeure pas moins que, sous sa forme actuelle, l'examen de production écrite de cinquième secondaire contient encore de nombreuses failles qui sont connues du ministère. Je les ai dénoncées en mars 2001. Elles sont toujours là. Complaisance ? Indolence ? Léthargie ?

Ces failles, je ne les ai jamais cherchées intentionnellement. Ce sont plutôt mes élèves les plus *allumés* qui me les ont fait découvrir au cours des années. Aussi, par souci d'équité et de partage, je leur laisse tout le loisir de les exploiter, ce qu'ils font avec un plaisir évident. Appelons cela du bachotage (on reviendra sur ce point plus loin), mais ces brèches sont là, elles sont connues par bien des élèves et de nombreux professeurs les enseignent systématiquement : c'est au MELS qu'il appartient de les colmater au lieu d'accuser bêtement les enseignants de tricherie.

[156] « Les largesses du ministère », *La Presse*, vendredi 11 mai 2001, page A8.

Trêve de bavardage et constatons qu'une des premières failles de cette évaluation est le cahier de préparation qu'on remet à l'élève quelques jours avant la tenue de l'examen. Ce recueil de textes permet au finissant de prendre connaissance de différents points de vue et de divers renseignements quant au sujet sur lequel il devra se prononcer. Il n'aura pas droit à ce cahier lors de l'examen, mais il pourra compléter une feuille où il notera les informations factuelles nécessaires à la production de son texte.

Simplement en lisant ce cahier de préparation, l'élève peut aisément connaître le thème précis (quand ce n'est pas l'énoncé lui-même!) sur lequel il devra se prononcer. Pourquoi? Parce que celui-ci est généralement écrit sur la première page du cahier ou que tous les textes qu'on y retrouve y sont rattachés... On indique même, sous forme d'onglet, l'aspect traité par chaque texte! Pour l'élève, l'avantage d'anticiper le sujet de l'examen est indéniable. Il pourra alors déjà structurer sa pensée et rédiger à l'avance une bonne partie de son introduction. Et je parle par expérience. Combien de fois ai-je constaté que les élèves avaient deviné tout seuls *comme des grands* le sujet de l'examen? Combien de fois ont-ils mémorisé une partie de leur introduction qu'ils ont assurément pris le temps de bien écrire et de bien corriger à la maison avec l'aide d'un parent?

Soulignons ici, pour celui qui n'a pas mis les pieds dans une école depuis 10 ans, que cette forme d'évaluation où l'élève se voit remettre un cahier de préparation avant l'examen n'est pas une procédure exceptionnelle. De plus en plus, en français, pour tous les niveaux, tant en lecture qu'en écriture, les élèves bénéficient de ce coup de pouce providentiel. Quand le ministre de l'Éducation Jean Garon avait appris en mai 1995 que les élèves de troisième secondaire avaient reçu un cahier de préparation en écriture quelques jours avant la date prévue de l'épreuve officielle afin de les aider, il était entré dans une sainte colère : « Assez, c'est assez! Je vais faire le ménage dans ces *mautadites* affaires-là! Je ne peux quand même pas passer mon temps à *tchéquer* mes 1 800 fonctionnaires[157] ! » Pourtant, malgré les écarts de langage du ministre, rien n'a changé. Ainsi, un élève de cinquième secondaire, qui a de la difficulté en lecture, a près d'une semaine pour lire en classe ou à la maison un cahier de préparation où l'on retrouve un extrait de roman d'une quarantaine de pages. Il pourra le comprendre et l'annoter avec un ami, par exemple. De plus, il pourra apporter ce cahier tel quel à l'examen. On ne se cachera pas qu'il s'agit plus d'un travail d'équipe que d'une évaluation individuelle, ce qui permet de masquer bien des échecs.

Toujours par rapport au cahier de préparation, certaines écoles ne tiennent tout simplement pas compte des consignes du MELS et remettent ce dernier une ou deux journées plus tôt que ce qui est permis. Dans certaines classes, les enseignants guident avec un peu trop d'ardeur leurs élèves, alors qu'ils devraient demeurer neutres, ou leur laissent plus de temps de préparation en classe que celui officiellement prévu.

La deuxième faille de l'examen d'écriture est bien sûr la feuille de notes que l'élève apportera avec lui lors de l'épreuve. Normalement, on ne devrait retrouver sur celle-ci que des informations tirées des textes qu'il a précédemment lus et qui lui permettront de soutenir son point de vue. Mais est-ce véritablement le cas ? Tout d'abord, ce ne sont pas tous les enseignants qui ont la même compréhension des consignes. Il a fallu que le MELS expédie une note de service pour clarifier divers points pourtant simples. Dans une école de ma commission scolaire, cette feuille de notes d'une dimension de 8½ par 11, sous la surveillance d'enseignants mal informés ou trop généreux, était passée à un format de 11 par 17 ! Alors, imaginez ce qu'il en est pour l'information qu'on ne doit pas y retrouver.

Il faut savoir aussi que le contenu de cette feuille n'est pas vraiment vérifié lors de la tenue de l'examen. « Les surveillants n'ont pas le temps de contrôler le contenu tout en observant ce qui se passe dans la salle. De toute façon, ils n'ont

[157] « "Assez, c'est assez", lance le ministre Garon », *La Presse*, mercredi 10 mai 1995, page A1.

souvent pas la formation requise pour savoir ce qui est permis et ce qui ne l'est pas puisque ce ne sont pas généralement des enseignants de français », explique Jacques Raymond, professeur de français de la polyvalente St-Jérôme[158]. Devant une telle incurie, l'élève peut souvent écrire à la mine des renseignements nécessaires à la structure de son texte et les effacer peu après le début de l'examen sans aucun problème. Dans certaines écoles, les enseignants vont même, soit par ignorance soit par tricherie, jusqu'à autoriser les élèves à y écrire des notions pourtant formellement interdites.

Confrontée à une telle situation, Lise Ouellet, responsable du programme de français au primaire et au secondaire, déclarait : « Nous faisons confiance aux enseignants. Ce sont des professionnels[159]. » Dans les faits, ces derniers n'ont pas le pouvoir ou la volonté de corriger ce problème. Il appartient aux directions d'école de le régler. De toute manière, ces feuilles de notes que personne ne vérifie dans les écoles ne sont même pas envoyées au ministère. Alors, pourquoi s'en faire ?

Toujours concernant la feuille de notes, celle-ci peut devenir en fait un gigantesque travail familial ou communautaire. Le ministère encourage implicitement les élèves dans cette voie en obligeant les enseignants à leur donner une période en classe pour échanger sur les textes qu'ils ont lus. Ils ont alors tout le loisir de retranscrire ou de reformuler, seuls ou avec des amis, les passages qu'ils jugent pertinents. À l'ère d'Internet, il est étonnant qu'aucun élève n'ait encore songé à concevoir un blogue ou un site afin de partager sa feuille de notes avec l'ensemble des finissants québécois ! Je suis surpris que des élèves forts en lecture ne se soient pas encore fait taxer…

Pour en finir avec la feuille de notes, disons qu'en laissant à l'élève la possibilité de reformuler ou de paraphraser les informations qu'il a lues dans le recueil de textes, on lui permet d'écrire et de corriger à la maison (avec l'aide d'un ami ou d'un parent) des passages qu'il pourra bêtement retranscrire de façon presque intégrale dans sa production. Dans les faits,

---

[158] « Trois feuilles de notes plutôt qu'une », *La Presse*, lundi 5 mars 2005, page A8.

[159] *Ibid.*

une brève analyse m'a permis d'évaluer que plus de 65 % des mots, phrases ou parties de phrases qu'un élève utilisera dans son texte lors de l'examen du ministère peuvent être appris par cœur ou écrits sur sa feuille de notes. Voilà une bonne façon de s'assurer de la réussite du plus grand nombre !

Une autre faille de cet examen est similaire à celle de l'épreuve uniforme du collégial. Comme l'explique J. Sébastien Gagnon, étudiant au collège Lionel-Groulx, une « courte rédaction laisse son auteur libre de camoufler facilement son ignorance linguistique par toutes sortes de stratégies d'évitement ; en somme, une telle épreuve démontre que l'élève connaît l'usage de 500 mots, point. » Selon lui, celle-ci devrait plutôt être jumelée à une autre épreuve qui évaluerait systématiquement les connaissances de base de l'élève, par exemple [160]. On comprend cependant qu'avec la réforme au secondaire, mesurer directement les connaissances grammaticales d'un élève est hors de question. Pourtant, on le fait bien avec les élèves du cégep qui veulent suivre le programme en enseignement à l'université...

Il existe enfin diverses façons de tricher sans se faire pincer à cet examen. Pour des raisons éthiques, je n'en relèverai qu'une seule. Dans plusieurs écoles secondaires, on permet aux élèves d'apporter leur dictionnaire ou leur grammaire lors de cette épreuve, entre autres parce qu'on manque de budget pour équiper convenablement les locaux de français de tout le matériel nécessaire. Plusieurs en profitent alors pour retranscrire dans ces ouvrages de référence des informations ou des parties de texte qu'ils utiliseront à leur avantage. On ne peut pas vérifier chaque dictionnaire pour s'assurer qu'il n'y aura pas de tricheur et les élèves le savent très bien.

Steak, blé d'Inde, patate

S'il existe une recette pour préparer un bon pâté chinois, on en retrouve également une pour réussir l'examen d'écriture du MELS sans trop de difficulté. Malgré les changements que ce

[160] « L'épreuve poursuit trois objectifs », *La Presse*, dimanche 17 mai 1992, page A18.

dernier a instaurés, il est toujours possible de préparer un élève pour réussir cette épreuve même s'il éprouve des difficultés en français.

Comme on l'a vu, le seuil de réussite de 35 fautes, loin d'être la Grande Muraille de Chine, a tout de la ligne Maginot. Bien qu'on soit effectivement plus sévère quant au discours lui-même, ce resserrement n'entraînera pas automatiquement un échec. Reste donc à l'élève à anticiper le sujet de l'examen, à préparer une partie de son introduction et de sa conclusion, à structurer sa pensée, à rédiger et à faire corriger sa feuille de notes, à apprendre par cœur des phrases ou parties de phrases et le tour est joué ! Il n'obtiendra pas une note élevée, mais il passera l'épreuve. Et c'est tout ce qu'il désire. Et, coïncidence, c'est tout ce que le MELS désire aussi.

Comment une telle entourloupette est-elle possible ? Tout simplement parce que les attentes du ministère sont tellement précises, tellement standardisées, qu'il est facile d'enseigner à les satisfaire. « Comme la correction dépend de jugements arbitraires, la majorité des enseignants n'apprennent pas aux élèves à argumenter, mais à satisfaire aux exigences des correcteurs. On dit et on répète aux élèves comment faire pour avoir le plus de points possible et on les exhorte à suivre la recette. Le résultat a peu à voir avec les compétences argumentatives des élèves ; il reflète surtout la docilité des élèves qui ont suivi à la lettre les conseils de leurs enseignants pour avoir facilement des points », explique Suzanne G. Chartrand, une didacticienne de l'Université Laval[161].

En mars 2001, pour le sous-ministre de l'Éducation, Robert Bisaillon, le comportement des professeurs qui préparaient leurs élèves à l'examen de diverses façons était répréhensible : « Ces enseignants sont fautifs[162]. » Quelques semaines plus tard, le ministère allait jusqu'à envoyer une mise en garde à tous les enseignants, leur indiquant de ne pas aider

---

[161] « L'épreuve de français écrit de 5e secondaire », *Le Devoir*, lundi 20 juin 1994, page A7.

[162] « Une importance accrue sera accordée à l'orthographe et la grammaire », *La Presse*, 2 mars 2001, page A5.

indûment leurs élèves en s'investissant trop dans la préparation de l'examen d'écriture[163].

Dans les faits, le ministère incite lui-même les enseignants à faire du bachotage en insistant sur la réussite du plus grand nombre et en concevant un examen aussi standardisé qui, depuis 1987, porte toujours sur la rédaction d'un texte argumentatif alors que le programme de français comporte d'autres types de texte. De plus, s'il veut être cohérent, le MELS devrait interdire à ses propres superviseurs d'organiser des séances de formation auprès des enseignants, séances au cours desquelles les fautes les plus fréquemment commises par les élèves sont relevées. Enfin, tant qu'à y être, il devrait également interdire la vente des livres qui montrent aux finissants comment réussir cette épreuve et qu'on retrouve dans toutes les librairies du Québec.

Des correcteurs accommodants ?

Plus que la forme de l'examen ou que la grille de correction, une autre raison qui explique la réussite fictive des finissants est que les correcteurs du ministère se voient imposer ou partagent une vision commune quant à leur rôle. Celui-ci peut se résumer, comme me l'a déjà confié une correctrice, à se considérer comme « une Mère Teresa qui doit sauver le plus grand nombre d'élèves possible ».

Lors d'ateliers donnés par des correcteurs du MELS auprès de ceux qui désirent mieux comprendre les rouages de l'examen d'écriture de fin d'année, il est fréquent de voir à quel point la générosité des cerbères édentés du ministère est à des kilomètres de celle des enseignants. Dans un cas précis, il y a quelques années, pour un même texte, 14 de mes collègues et moi attribuions généreusement la note de 7 sur 21 pour la qualité des arguments mis de l'avant par un élève alors que le correcteur y allait d'une note parfaite. En mai 1999, alors qu'en classe, pour un examen similaire, les élèves d'un de mes groupes obtenaient

[163] « Le ministère de l'Éducation sert une mise en garde aux enseignants », *La Presse*, vendredi 30 mars 2001, page A8.

une note moyenne de 65 %, avec un taux d'échec de 25 %, lors de l'examen ministériel, à peine trois semaines plus tard, voilà que 100 % des élèves réussissaient cette épreuve avec une note moyenne de 89,9 %. Plus récemment encore, il y a deux ans, dans mon école, nous avions embauché un correcteur du ministère pour superviser l'évaluation d'une vingtaine de rédactions d'élèves. Dans tous les cas, les notes attribuées par ce dernier étaient supérieures aux nôtres. Il faut préciser – non sans ironie – qu'aux dires mêmes du MELS, la grille de correction de l'examen « privilégie une approche globale qui laisse davantage de place au jugement professionnel de l'évaluateur ou de l'évaluatrice et qui favorise la prise en compte de nuances importantes au moment de l'évaluation[164] ».

Pour certains, l'adhésion à cette correction plutôt laxiste est quelque peu difficile. Ainsi, bien qu'ils aient signé avec le ministère un contrat comportant une clause de confidentialité, trois ex-correcteurs de l'épreuve de français écrit ont affirmé en mars 2001 avoir subi des pressions de la part de leurs superviseurs pour que le plus grand nombre possible d'élèves obtiennent la note de passage. L'un d'entre eux n'a pas hésité à livrer ses impressions au quotidien *La Presse* : « Leur idée [celle des superviseurs], c'était qu'il fallait faire passer le monde. Quand l'élève obtenait la note de passage, il n'y avait jamais de questions qui étaient posées, mais dès qu'un élève se dirigeait vers un échec, le superviseur venait nous voir. Souvent, on se faisait dire qu'il fallait être plus généreux ou qu'on avait mal compris un passage. » Malgré ses convictions personnelles, ce correcteur a compris qu'il devait se montrer plus large dans son appréciation des textes et même les arguments les plus faibles étaient récompensés. Un autre ajoutait que certains superviseurs « infantilisaient » les élèves et se réjouissaient ouvertement d'avoir réussi à augmenter les notes de ceux-ci pour leur permettre de réussir l'examen[165].

[164] *Document d'information, français, langue d'enseignement de cinquième année du secondaire*, MELS, 2005, page 14.

[165] « Il fallait faire passer le monde », *La Presse*, vendredi 2 mars 2005, page A5.

La même situation existait déjà en 1999 si l'on se base sur une enseignante du secondaire qui raconte l'anecdote suivante : « Un collègue, ex-correcteur au ministère pour les examens de secondaire 5, me confirmait récemment qu'il pouvait, à partir des suggestions du chef-correcteur, alléger, voire oublier certaines règles de syntaxe et de ponctuation[166]... »

Loin de moi l'idée d'affirmer que les correcteurs sont malhonnêtes dans leur travail. Ils suivent simplement les consignes que le ministère leur a données. Comme le disait l'un d'eux : « C'est la mentalité du ministère de l'Éducation qui en a fait un examen bidon. On maquille la réalité pour se faire croire que tout va bien, que les programmes de français sont bons[167]. » Résultat : le MELS n'a pas besoin de normaliser les notes des élèves. La correction s'en charge déjà...

La main droite qui ignore ce que fait la main gauche

Bien que cet aspect soit un peu technique, il est déjà arrivé que des élèves aient été aidés dans leur réussite de l'examen unique de production écrite de cinquième secondaire simplement par un manque de coordination entre les divers fonctionnaires du MELS. En effet, il existe au ministère différentes équipes qui œuvrent à la conception et à la correction de cet examen et qui, pour des raisons organisationnelles, ne travaillent pas toujours en étroite collaboration.

En mai 2003, lorsqu'ils ont constaté que le sujet sur lequel devaient se prononcer les élèves était ambigu, j'ai appris que les correcteurs n'avaient eu d'autre choix que d'accepter un très large éventail d'arguments, plus que certains d'entre eux ne l'auraient souhaité. Pis encore, parce que le recueil de textes qu'avaient lu préalablement les élèves contenait peu d'informations pertinentes liées à ce sujet, il leur a fallu également se montrer plus ouverts, plus généreux à cause de cette autre bourde.

---

[166] « Un mensonge national à saveur pédagogique », *La Presse*, vendredi 21 mai 1999, page B3.

[167] « Il fallait faire passer le monde », *La Presse*, vendredi 2 mars 2005, page A5.

La morale de cette histoire est que, paradoxalement, plus l'examen de fin d'année en écriture est bancal, plus les élèves ont de chances de le réussir.

Une mise en garde

Bien que l'examen de production écrite de cinquième secondaire puisse susciter la critique et demeure perfectible, je me sens dans l'obligation de préciser ici qu'il constitue pour l'instant le moins pire des instruments de mesure, surtout si l'on pense au sort que certains grands prêtres du *renouveau messianique* souhaiteraient lui réserver.

Il est important qu'une épreuve unique, corrigée de manière uniforme par une équipe d'évaluateurs, soit administrée à la fin du secondaire pour des raisons d'équité, d'où l'importance de s'assurer de sa crédibilité. En instaurant cet examen, le MELS voulait entre autres réduire les risques d'injustice pour les élèves puisqu'il est évident que la correction d'un même texte peut varier d'un enseignant à l'autre. Imaginez si, un jour, tous les enseignants de français de cinquième secondaire avaient à évaluer quelque chose d'aussi difficilement mesurable que des compétences…

La modération : une fausse note de l'évaluation ?

Une autre façon de s'assurer que l'élève puisse obtenir son diplôme est ce qu'on appelle la modération. Le MELS l'applique depuis 1974 et a reconfirmé son utilisation en 1994. Voyons en quoi cette pratique, fort louable en théorie, peut parfois permettre à un élève brillant mais paresseux de réussir son année sans trop d'effort.

Le résultat d'un finissant de cinquième secondaire en français est composé de deux notes. La première est formée de toutes les évaluations qu'il a subies durant l'année scolaire. La deuxième, du résultat de l'examen ministériel d'écriture qui fait foi de tout. « L'examen du ministère sert de référence parce que tout le monde passe le même examen alors que les écoles ont différentes façons d'évaluer leurs élèves », explique Jean-Guy Blais, du département d'études en éducation et administration de l'éducation de l'Université de Montréal[168].

Grosso modo, le ministère « compare, pour chaque groupe d'élèves (généralement une trentaine d'élèves), les notes obtenues à l'école avec celles obtenues à l'épreuve unique. Par un procédé statistique, les notes de chaque groupe d'élèves aux épreuves de son établissement sont transformées de façon à être ajustées avec celles qu'il a obtenues à l'épreuve unique, et ce, en fonction de la moyenne et de l'écart type (c'est-à-dire la dispersion des notes autour de la moyenne)[169]. »

Ainsi, si un élève a obtenu un résultat supérieur lors de l'examen de fin d'année, le MELS modérera habituellement sa « note-école » à la hausse, estimant que son professeur a été trop sévère avec lui. À l'inverse, il modérera à la baisse une note-école trop généreuse comparée à la note ministérielle. Cependant, il faut savoir qu'une modération à la baisse « ne peut jamais avoir pour conséquence de faire échouer l'élève qui aurait obtenu la note de passage à ses notes d'école (avant la modération) et à l'épreuve unique[170] ».

Le but de cette modification de la note-école, avoue Gilles Bélanger, chef du service des opérations informatiques à la sanction des études du MELS, est « de rendre les résultats comparables et aussi objectifs que possible[171] ».

Ce qu'on peut remarquer, c'est qu'avec la modération des résultats, un élève paresseux qui n'aurait pas travaillé de l'année a de fortes chances de voir sa note littéralement propulsée dans les hautes sphères de la réussite s'il s'est bien tiré d'affaire à l'examen, peu importe le jugement professionnel de l'enseignant et peu importe que l'évaluation ministérielle soit reconnue comme une véritable passoire.

---

[168] « Le dépassement par la modération », *Le Devoir*, jeudi 9 août 2001, page A1.

[169] *Résultats aux épreuves uniques de juin 2004 et diplomation*, http://www.MELS.gouv.qc.ca/sanction/epreuv2004/Epreuve_2004.pdf, page 8, document consulté le 20 juin 2006.

[170] *Ibid.*

[171] « Le dépassement par la modération », *Le Devoir*, jeudi 9 août 2001, page A1.

Comme on peut le constater, cet exercice prouve finalement qu'aux yeux du ministère, la note-école ne vaut pas grand-chose. Comme l'écrivait si justement Paule des Rivières du journal *Le Devoir* : « Mais à quoi bon multiplier les tests si l'outil de contrôle est défaillant ou si, au bout du compte, il est manipulé de manière à faire en sorte que le plus grand nombre possible réussisse[172] ? » C'est toute la crédibilité de l'évaluation et, par le fait même, de l'enseignement du français qui en prend un coup.

Donnez au suivant !

Au Québec, chaque élève faible qui persiste à demeurer à l'école se verra reconnaître un niveau de compétence qu'il ne possède pas. Pourquoi ? Parce qu'il est très difficile de le recaler et parce qu'on demeure toujours convaincu que ce dernier réussira à combler ses lacunes l'année suivante, du moins jusqu'à ce qu'il arrive à l'examen de fin de cinquième secondaire. Cette généreuse promotion des élèves est si fréquente qu'on pourrait penser qu'il s'agit d'un système voulu et réfléchi.

Pensons tout d'abord au renouveau pédagogique qui emprunte à cette stratégie en abolissant le redoublement. Dans le cadre de celui-ci, on croit dur comme fer que l'élève apprendra davantage si on respecte son rythme et si on ne l'évalue qu'à la fin de la deuxième secondaire.

On retrouve aussi les fameux cours d'été qu'un de mes élèves a déjà comparés à un forfait-vacances et qu'on pourrait appeler : « Tu paies, tu passes ! » Il m'expliquait toujours ne pas comprendre comment il avait réussi son cours estival alors qu'il ne saisissait strictement rien à la matière qu'on lui avait enseignée. Son explication toute rationnelle : « J'ai payé, faque ! » On peut s'interroger sur la soi-disant réussite des élèves inscrits à ce type de cours et je ne connais aucune étude sérieuse à ce jour sur le parcours scolaire de ces élèves les années subséquentes. Comment un élève peut-il arriver à comprendre

[172] « Fausse note », *La Presse*, vendredi 10 août 2001, page A6.

en moins de 50 heures l'été ce qu'il n'a pas réussi à démêler en 150 heures durant l'année scolaire?

Dans la même veine des grands mystères de l'éducation, il y a aussi les examens de reprise du mois d'août où, sans aucun cours préparatoire, certains élèves obtiennent de meilleurs résultats en vacances que lorsqu'ils étaient en classe!

Enfin, on retrouve les « jugements de maîtrise » des enseignants et le classement des élèves effectué par les directions d'école. Ainsi, si un élève de la première à la quatrième secondaire obtient une moyenne de 58 % à la fin de l'année en français, on s'empressera de lui attribuer 60 % pour gonfler les statistiques quant à la réussite scolaire. Cependant, on remarquera que ces jugements ne servent jamais à réduire la note d'un élève faible ou chanceux qui a obtenu, on ne sait trop comment, le résultat de 60 %.

Tous ces facteurs combinés donnent parfois des résultats effroyables. Prenons, par exemple, le cas d'un de mes anciens élèves. Celui-ci a bénéficié d'un coup de pouce providentiel d'un directeur adjoint et bien qu'il ait échoué à son cours de français de quatrième secondaire avec une note de 42 %, il a pu s'inscrire malgré tout au cours d'été où il a décroché, surprise! la note de passage. De là, il est arrivé dans ma classe de cinquième secondaire, sachant à peine lire et écrire correctement. Il dérangeait tout le groupe parce que, pour lui, l'école était une gigantesque farce et il n'avait malheureusement pas tort. Ne parlons pas non plus de ces cas incroyables d'élèves dyslexiques ou souffrant de déficit d'attention qui ne sont dépistés que quelques mois avant leur entrée au cégep.

Il est donc vrai qu'en éducation, au Québec, on repousse constamment les frontières de l'ignorance… en donnant généreusement à l'enseignant suivant nos élèves en réussite virtuelle.

4- Les mensonges et la convergence

Il est facile de lancer la pierre au MELS quand on traite de la qualité du français des finissants du secondaire. Cependant, il existe plusieurs autres intervenants du monde de l'éducation qui sont complices de ce gigantesque mensonge qu'est la réussite en français des élèves québécois.

L'omerta scolaire

L'éducation est un milieu clos, fermé sur lui-même, qui a habituellement peur de se remettre en question. Alors, il n'est pas surprenant d'apprendre que les enseignants qui s'expriment dans les médias sont parfois victimes d'intimidation de la part de leurs collègues ou de leur direction d'école. Il existe des vérités qu'il ne faut ni dire ni écrire.

Lors de la parution de son pamphlet intitulé *Pour en finir avec l'école sacrifiée*[173], mon confrère Benoit Séguin a dû affronter l'hostilité de ses collègues de travail que sa critique irritait visiblement.

De même, après que le journal *Le Devoir* ait publié mon texte intitulé « De l'omerta à la vérité[174] », j'ai dû me justifier auprès de certains enseignants de français de ma commission scolaire. « Comment on va motiver les élèves à travailler maintenant qu'ils savent qu'ils peuvent réussir sans se forcer ? », m'a-t-on demandé sur un ton rempli de reproches. Quel constat à la fois absurde et ironique : gardons les élèves dans l'ignorance, ils apprendront mieux !

J'ai également côtoyé cette peur de parler alors que les recherchistes du *Grand Journal* de TQS m'ont proposé de participer à une entrevue avec Jean-Luc Mongrain parce que les 10 autres enseignants avec qui ils avaient parlé de la réforme

---

[173] *Pour en finir avec l'école sacrifiée*, Benoit Séguin, Éditions Boréal, 1996.

[174] « De l'omerta à la vérité », *Le Devoir*, samedi 17 et dimanche 18 mars 2001, page A 13.

au secondaire ne voulaient pas s'exprimer en ondes, par crainte de représailles de la part de leur direction d'école !

Et cette loi du silence, on la retrouve à tous les niveaux de l'organisation scolaire. Par exemple, on fait signer des clauses de confidentialité aux correcteurs du MELS, on « cache » des rapports ministériels sur l'implantation de la réforme ou sur les résultats scolaires des jeunes Québécois *réformés*, on fait semblant d'enseigner la réforme dans les classes... Même la Fédération des commissions scolaires du Québec demande à ses membres de garder secrets les bonis versés aux cadres des CS[175] !

Au fond, on se tait pour garder son emploi, pour éviter de heurter des sensibilités mal placées, pour préserver la crédibilité d'une institution qui aurait bien besoin d'un grand ménage. On se tait aussi par écœurement parce qu'on a trop crié sans être entendus. Et les conséquences de ce silence, de ce mensonge par omission, où l'on fait candidement semblant que tout va pour le mieux dans le meilleur des mondes possibles, sont catastrophiques.

Et quand on ne se tait pas, on prend des distances si grandes avec la vérité qu'on peut presque parler de mensonge. Il n'est donc pas étonnant que nos politiciens professionnels aient auprès de la population un taux de confiance moins élevé que celui des vendeurs de voitures usagées[176].

Sot ! Sot ! Sot ! Solidarité !

Il est toujours difficile pour un enseignant de critiquer les actions de son propre syndicat mais, parfois, celles-ci conduisent à l'appauvrissement de la qualité du français des élèves. C'est notamment à cause de questions de nature pédagogique que la Fédération des syndicats de l'enseignement (FSE) fait aujourd'hui face à un vent de

[175] « Un secret mal gardé », *Le Journal de Montréal*, 20 mars 2006.

[176] *La perception des Canadiens à l'égard de certaines professions*, http://leger marketing.com/documents/SPCLM/020225FR.pdf , document consulté le 20 juin 2006.

critiques sans précédent et que certains syndicats locaux se sont désaffiliés de cette dernière[177]. En effet, il semble bien qu'à force de compromis, la FSE ait fini par effectuer des compromissions inacceptables.

Ainsi, lors du processus de renouvellement de la dernière convention collective nationale, les instances de la FSE, de leur propre chef, ont convenu avec la partie patronale de présenter aux syndiqués une offre où elles laissaient tomber la revendication concernant la baisse du nombre d'élèves par classe. Il s'agissait pourtant de la demande syndicale la plus populaire auprès du grand public. De plus, la FSE demandait à ses membres d'accepter que les élèves en difficulté (EHDAA) ne soient plus cotés. « J'ai pas voté pour ça », m'a confié un de mes collègues en assemblée générale, sans se rendre compte qu'il reprenait, à l'adresse de son propre syndicat, un slogan antigouvernemental… Il a alors fallu se battre ferme contre des exécutifs locaux qui tentaient de nous vendre leur salade et qui prenaient bien garde de ne pas nous expliquer le point de vue des *méchants* syndicats dissidents qui avaient rejeté ces deux propositions.

L'attitude équivoque de la FSE à l'égard du renouveau pédagogique soulève aussi bien des interrogations. Alors que l'Alliance des professeurs de Montréal est plus revendicatrice dans ses actions, la FSE préconise davantage un syndicalisme de gestion participative avec le MELS sur la table de pilotage consacrée à la réforme. Oh ! bien sûr, la FSE a demandé la tenue d'une commission parlementaire sur le renouveau pédagogique, mais on a l'impression que toute cette démarche n'était que des mots pour calmer les esprits les plus fougueux, sans plus.

En fait, la FSE ne remet pas en question le renouveau pédagogique : bien au contraire, elle semble lui donner sa chance et cherche tout bonnement à l'améliorer même si les conditions d'implantation de celui-ci sont tout simplement abominables et connaissent des ratés remarquables. Par exemple, Johanne Fortier, présidente de la FSE, parle de « redressements nécessaires pour empêcher que les dérives constatées au

[177] « Des enseignants veulent quitter la CSQ », *La Presse*, mercredi 7 juin 2006.

primaire ne se reproduisent au secondaire[178] ». Dans le cadre des travaux de la table de pilotage sur la réforme, la FSE a même approuvé un questionnaire sur le renouveau pédagogique envoyé aux enseignants, un questionnaire que plusieurs de mes collègues du primaire ont jeté à la poubelle tellement il leur semblait biaisé.

De plus, exception faite de ce sondage, plusieurs de mes collègues et moi avons remarqué que ni la FSE ni notre syndicat local ne nous ont consultés formellement quant au renouveau pédagogique, ce qui n'empêche pas ces derniers de parler en notre nom sur ce sujet. En assemblée générale, la réforme n'a jamais été abordée, sauf quand on a suggéré de la boycotter comme moyen de pression pour faire avancer le dossier de l'équité salariale. En fait, il faut le dire, les enseignants parlent rarement de pédagogie lors d'une assemblée syndicale.

Des parents peu apparents

Devant la situation déplorable dans laquelle est plongé le système scolaire québécois, on se serait attendu à une levée de boucliers de la part des parents, comme cela s'est produit en Suisse avec la rénovation du programme scolaire des écoles primaires. Or, il n'en est rien. Faut-il en être surpris quand on sait qu'au Québec, le taux de participation aux dernières élections scolaires a été de 8,4 %[179] ? De même, lors d'un sondage effectué par la firme Ipsos-Reid, de façon générale et significative, les Québécois accordaient bien moins d'importance à l'éducation que les Canadiens[180].

Bien sûr, il y a eu un débat sur le bulletin au primaire et quelques lettres de parents outrés ont été publiées dans les journaux lorsque le *renouveau hypnotique* a été implanté au secondaire.

---

[178] *Tenue d'une commission parlementaire sur la réforme*, http://www.fse.qc.net/fra/doc1909.asp, page consultée le 20 juin 2006.

[179] *Élections scolaires 2003*, http://www.MELS.gouv.qc.ca/CPRESS/cprss2003/c031117.htm, page consultée le 20 juin 2006.

[180] *Rapport sur l'accès à* l'éducation, http://www.MELS.gouv.qc.ca/lancement/Acces_education/454332.pdf, document consulté le 20 juin 2006.

Mais tout le monde s'est empressé de retourner dormir sur ses deux oreilles... Ce n'est que lorsque certains parents du secondaire ont reçu le bulletin de leur enfant qu'ils se sont enfin réveillés : ils réclamaient des pourcentages, des moyennes, pas des lettres ou des *bonshommes-sourires*[181] !

Manifestement, ces parents ne comprennent pas ce qu'est une évaluation. Qu'on mette des lettres, des chiffres ou des pictogrammes, c'est ce qui est mesuré et la façon dont on le mesure qui importe, pas la façon de transmettre le résultat ! De plus, contrairement à ce qu'ont compris plusieurs d'entre eux, le ministre n'a pas indiqué qu'il souhaitait le retour des moyennes de groupe, par exemple. Il y a un monde de différences entre ces deux positions. Ce que certains parents veulent, c'est un bulletin traditionnel, bien qu'incompatible avec la réforme. Ils seront bien déçus quand ils réaliseront qu'ils n'auront qu'à choisir si celui-ci utilisera des chiffres ou des lettres.

En fait, on peut être effrayé de constater que les parents comprennent si mal le système pédagogique dans lequel évoluent leurs enfants, mais il faut dire que les intervenants en éducation ne font pas toujours ce qu'il faut pour les intéresser ou s'assurer qu'ils prennent part à certains débats pédagogiques. Il est même à se demander si certains décideurs scolaires veulent que les parents connaissent les rouages du fonctionnement d'une école. Constat similaire du côté syndical, où j'ai souvent perçu une certaine crainte quand j'ai suggéré d'inviter des parents à se mêler de certains dossiers reliés à la réussite des élèves.

Au secondaire, les parents sont aussi les grands absents des apprentissages des enfants par leur propre faute. « Ils sont maintenant grands, ils veulent être traités comme des adultes, qu'ils se débrouillent ! », semblent penser certains d'entre eux, débordés par le rythme infernal de notre société de consommation qui leur en demande toujours davantage. En plus d'être causé par un système d'éducation désorganisé et malade, le décrochage scolaire est aussi celui des parents. Et derrière

---

[181] « 100 % », *La Presse*, lundi 20 février 2006, page A17.

l'élève en difficulté se cache parfois une mère ou un père dépassé qui a baissé les bras.

Mais il y a aussi ces parents trop permissifs qui partent en vacances en Floride avec leurs enfants deux semaines pendant l'année scolaire ou encore qui motivent toutes les absences de ces derniers. Je repense à cette élève qui a déjà manqué, avec le consentement de ses parents pourtant aisés, une semaine complète de classe parce qu'elle était malade et qui, malgré tout, travaillait tous les soirs au dépanneur pour se payer sa robe de *bal des finissants*. Et il ne faut pas croire que ces cas sont des exceptions. L'absentéisme fait des ravages dans les salles de cours au secondaire. Mais rares sont les commissions scolaires qui ont le courage d'adopter une véritable politique sur la fréquentation scolaire.

Dramatiquement, au cours des dernières années, on a vu plus de parents se plaindre de la sévérité des règlements concernant la tenue vestimentaire de leurs enfants que de la médiocrité de leurs apprentissages en français. Quand, après 11 années d'école, un élève ne sait toujours pas écrire correctement le mot *professeur*, il y a manifestement un problème qu'ils ne comprennent pas.

Si l'on a entendu parler de la Fédération des comités de parents du Québec, c'est bien plus parce qu'elle s'est opposée au boycott des activités parascolaires par les enseignants que parce qu'elle a dénoncé la pauvreté des apprentissages des élèves. Pourquoi le fait qu'un jeune de 16 ans ne sache pas écrire n'émeut-il personne ? Où est cette fédération alors que les élèves manquent de services, que les administrateurs scolaires se *paient la traite* et que les commissions scolaires cumulent un surplus de 300 millions $ [182] ? Où est-elle alors que des élèves en sont réduits à vendre du chocolat pour que leur école puisse se doter de mobilier scolaire adéquat [183] ?

[182] « Un bas de laine de 300 M $ », *Le Journal de Montréal*, samedi 25 février 2006, page 9.

[183] *Vendre du chocolat pour payer des pupitres*, http://www.radio-canada.ca/nouvelles/societe/2006/03/27/001-ecole-chocolat-pupitre.shtml, page consultée le 20 juin 2006.

En fait, les seuls parents qui se plaignent – à juste titre d'ailleurs – sont souvent ceux qui ont des enfants en difficulté d'apprentissage et qui réclament de meilleures ressources. Les parents moyens d'enfants moyens, eux, protestent silencieusement, comme s'ils avaient compris que le réseau public de l'éducation ne changera pas. Quand ils le peuvent financièrement, ils marquent simplement leur désaccord en envoyant leur progéniture à l'école privée, de plus en plus populaire.

Au fond, c'est un peu comme si plusieurs parents du Québec étaient chloroformés par les propos rassurants des différents ministres qui se sont succédé à l'éducation, comme si les dénonciations faites par de nombreux enseignants sur la place publique n'avaient aucune crédibilité, comme si de voir leurs enfants obtenir un diplôme d'études secondaires leur suffisait amplement, bien que ces derniers n'aient pas appris à maîtriser correctement le français à l'école. En autant que celle-ci demeure une garderie pour leurs *grands*, ils n'en demandent pas plus, semble-t-il.

LE COLLÉGIAL

Benoit Séguin

Le français au collégial en bref…

- Il y a quatre cours de français obligatoires au cégep. 101 : analyse littéraire; 102 et 103 : dissertation littéraire; 104 : communication et production. Ce sont essentiellement des cours de littérature, à l'exception du 104.
- Il existe aussi un cours de mise à niveau pour les élèves jugés inaptes à intégrer la séquence régulière à leur entrée au cégep.
- Chaque cours a une durée de 60 heures et s'échelonne sur 15 semaines.
- Le programme de français s'inscrit dans la formation générale obligatoire, avec la philosophie, l'anglais et l'éducation physique.
- L'épreuve de sortie (Épreuve uniforme de français ou ÉUF) doit être réussie pour que l'élève obtienne son diplôme d'études collégiales (DÉC). Créée dans la foulée de la réforme Robillard, cette épreuve est administrée par le MELS depuis le milieu des années 1990.
- Le programme actuel est en vigueur depuis la réforme Robillard, implantée au début des années 1990. Avant, le français était enseigné par genres littéraires : roman, poésie et théâtre. Il y avait aussi un cours de linguistique.

Avant-propos

Il a été largement question du *renouveau pédagogique* dans les deux parties précédentes, et pour cause. Mais comme cette réforme ne s'étendra pas au cégep, il n'en sera pas question ici. Du moins pas directement.

Cela ne veut pas dire que le cégep n'aura pas à vivre avec les conséquences de celle-ci, bien au contraire : dans quatre ans, la première cohorte de « réformés » y entrera. Certaines directions de cégeps préparent déjà leurs enseignants à affronter cette nouvelle réalité. Ainsi, j'ai dû assister à la projection d'un documentaire sur les soi-disant bienfaits de la réforme, animé par deux élèves du primaire qui se renvoyaient la balle comme des chiots savants, à grands coups de superlatifs. J'ai enduré les dix premières minutes... et je suis parti. Sans doute ai-je craint de me laisser endormir, moi aussi, par ce grand mensonge de l'éducation.

Toute cette propagande d'État n'était bien sûr qu'une autre mise en scène du MELS visant à chloroformer le jugement des enseignants. Heureusement, ça n'a pas marché : la plupart ont vu les ficelles au-dessus des marionnettes, et le documentaire a rapidement été tourné en dérision. Il n'en demeure pas moins que l'inquiétude s'installe parmi nous puisque nous devrons très bientôt composer avec les effets pervers de cette réforme. Voilà pourquoi je me permettrai, ici et là, d'extrapoler sur la situation présente au cégep en fonction de mes inquiétudes par rapport à l'avenir.

Et puisqu'il est question de réforme, il faut savoir que le cégep a lui aussi connu la sienne au début des années 1990 : la réforme Robillard, qui prônait un enseignement « par compétences ». Sans entrer dans les détails, mentionnons que le but de celle-ci, en français du moins, était d'uniformiser l'enseignement et d'en resserrer les exigences dans un contexte de grande disparité. L'intention était noble. Comme toujours. On a donc réécrit les devis ministériels qui balisent les cours de français en ce qui a trait au contenu, puis on a imposé une épreuve à tous les cégépiens : l'ÉUF. Une épreuve, hélas, tellement facile qu'un élève du secondaire pourrait la réussir.

Or, plus d'une décennie après l'implantation de la réforme Robillard, le constat est navrant : dans l'ensemble, les cégépiens écrivent mal, lisent en surface et réfléchissent à la va-vite.

Voilà pour l'enseignement par « compétences ».

Qu'est-il donc advenu des intentions de la réforme Robillard ?

Elles ne se sont certainement pas traduites en gestes. Il semble qu'on ait appliqué cette dernière dans une optique beaucoup moins noble que ses intentions de départ : sauver l'image à court terme, en haussant artificiellement les taux de diplomation, et fermer le clapet de tous ces journalistes qui, au début des années 1990, mettaient à jour la pauvreté de la langue des diplômés du collégial.

La fuite en avant.

Mais laissons les réformes aux réformistes et parlons plutôt littérature, car les cours de français au collégial sont essentiellement des cours de littérature.

Mais qu'entend-on au juste par « enseignement de la littérature » ?

Vaste question en effet. À mon avis, il est tout à fait sain qu'on retrouve autant de conceptions de la littérature que de profs qui l'enseignent. Qu'on soit voltairien ou rousseauiste, sartrien ou camusien, qu'on ne jure que par Michel Tremblay, Réjean Ducharme ou Gabrielle Roy, qu'on lise par plaisir ou par nécessité, qu'on croie ou non en la fonction sociale de l'écrivain, qu'on aime les chantres de la mort ou les chantres de la vie, tout ça est assez secondaire. J'ai toutefois deux certitudes. Il faut que les œuvres soient substantielles et que le courant passe. Le reste n'est que débats de salon.

Or, pour que le courant passe, l'élève doit sentir qu'il peut enfin sortir de lui-même, accéder à autre chose, se confronter, voir ses mensonges comme ses vérités, bref grandir à travers l'expérience stimulante, bien que difficile, d'un cours de littérature. Et devenir un peu plus adulte. Bel idéal sans doute... mais voilà : le fossé entre l'idéal et la réalité, au cégep, est beaucoup trop grand. À cause, précisément, du niveau des élèves. De la disposition des élèves. De la formation des élèves.

Je tenterai donc de démontrer que la faiblesse des élèves en littérature est la conséquence directe de notre hypocrisie collective et de l'incurie de certains décideurs, ceux qui disent ceci mais font cela, ceux qui créent l'illusion de la rigueur tout en pratiquant le laxisme.

Ma démonstration s'appuie sur ce constat : si le programme de français semble exigeant, l'épreuve de sortie, elle, est une véritable passoire. Une passoire qui discrédite *de facto* le programme et rend caduques plusieurs de ses exigences.

Voilà pourquoi j'ai choisi de structurer mon texte en fonction de la logique séquentielle 101-102-103 et de le clore par une étude détaillée de la fameuse épreuve de sortie, l'ÉUF. Nous entrerons donc dans les méandres de l'analyse littéraire (101), puis de la dissertation (102 et 103). Loin de moi l'idée de résumer des cours complets en quelques pages et de multiplier les détails techniques, il va sans dire, mais pour bien comprendre la déroute du français au collégial, il est nécessaire de réfléchir posément aux grands enjeux des trois premiers cours avant de matraquer l'ÉUF à grands coups de statistiques. La perspicacité du lecteur sera donc mise à contribution, tout comme son sens de l'effort, puisque le problème du français au collégial est nettement plus complexe que la formule qui le résume : des devis en béton et des épreuves en carton.

Afin de simplifier et d'aller droit au but, excluons les élèves forts, ceux qui savent lire et écrire en plus d'avoir une certaine culture livresque. La plupart d'entre eux, même s'ils souffrent du laxisme ambiant, ont des capacités autodidactes assez développées pour surmonter n'importe quelle forme de nivellement par le bas.

Concentrons-nous plutôt sur la masse.

L'élève moyen et l'élève faible.

Le mise à niveau

Avant d'entrer dans la séquence 101-102-103, toutefois, il faut dire un mot sur le cours qu'on appelle de mise à niveau. Ce cours d'appoint doit être suivi par les élèves jugés inaptes à intégrer le 101 en raison de leurs difficultés en français écrit. Environ 10 % des élèves qui entrent au cégep sont dirigés vers le Mise à niveau. Grammaire, syntaxe, ponctuation, lecture, rédaction.

Les profs et les directions de cégeps savent très bien que ce cours est insuffisant pour pallier des lacunes qui remontent aussi loin qu'au primaire, et qui sont généralement attribuables à des facteurs aussi variés que le milieu familial, la maladie, la dysfonction, le je-m'en-foutisme, les problèmes d'ordre psychologique, une éducation dans une autre langue, etc.

Ce cours varie d'un cégep à l'autre, mais peu importe la formule, l'élève aura à peine le temps de réviser ses règles de base, de rédiger quelques textes et de corriger ses fautes sous la supervision d'un prof. Cela n'est pas négligeable, certes, mais il est totalement illusoire de croire qu'en si peu de temps, avec des moyens si dérisoires, on puisse « mettre à niveau » qui que ce soit – sauf de rares exceptions. Au mieux, l'enseignant trouvera le moyen de donner confiance à ses élèves en leur suggérant une méthode de travail qui leur permettra de cheminer à travers les méandres du collégial ; au pire, certains élèves concluront qu'ils sont des causes perdues et attendront patiemment (passivement) qu'on les fasse passer d'un cours à l'autre.

Ou bien ils décrocheront leur diplôme.

Ou bien ils décrocheront.

Dans une boîte de Cracker Jack's

Quand on reçoit au cégep des élèves qui font une faute aux huit mots, avec dictionnaire, grammaire et guide de conjugaison, on doit questionner sérieusement la valeur du diplôme d'études secondaires.

Une faute aux huit mots: tel est le niveau de certains élèves de Mise à niveau. Et que fait le ministère de l'Éducation? Au lieu de resserrer les exigences du secondaire (ça mettrait en péril la fameuse diplomation, ce qui entacherait l'image), il opte plutôt pour un prolongement du nivellement par le bas jusqu'au cégep. En Mise à niveau, cela se traduit par une compétence finale d'une faute aux dix-huit mots. Vous avez bien lu : la compétence finale du Mise à niveau est la rédaction d'un texte où l'élève, avec dictionnaire, grammaire et guide de conjugaison, ne fera pas plus d'une faute aux dix-huit mots. C'est-à-dire une faute aux deux lignes... et il entrera en 101.

Quand la première cohorte de « réformés » fera son entrée au cégep, dans quatre ans, devrons-nous abaisser ce seuil?

Le 101: l'analyse

L'élève moyen et l'élève faible, en gros, arrivent au cégep avec une capacité analytique peu développée et une formation littéraire pauvre, pour ne pas dire nulle. Il faut le répéter : au secondaire, il n'y a aucun enseignement systématique obligatoire de la littérature. Tout ce que le ministère impose, c'est la lecture de quatre livres par année, quels qu'ils soient, et ce minimum n'est pas toujours respecté, car il est interdit de forcer les élèves à acheter des livres, ce qui restreint le choix aux œuvres disponibles en nombre suffisant dans les bibliothèques. Plusieurs élèves quittent donc le secondaire sans avoir lu un seul livre au complet. Je n'invente rien. Ils le disent eux-mêmes.

Le devis du 101 stipule qu'il faut amener ces élèves à *repérer et classer des thèmes et des procédés stylistiques dans des textes littéraires* ; *relever les principales manifestations thématiques et stylistiques* ; *classer les principales manifestations thématiques et stylistiques* ; et *faire des liens pertinents entre le propos du texte, les manifestations thématiques et les manifestations stylistiques.*

En clair, ça veut dire qu'il faut étudier le quoi et le comment d'un texte. Son fond et sa forme. Puis lier tous ces éléments-là dans une analyse cohérente. Or, pour la plupart des élèves, c'est du mandarin.

Iceberg droit devant !

Il appartient aux cégeps de choisir leur corpus de lecture, puisque le devis du 101 ne prescrit rien de précis là-dessus. Or, l'approche la plus répandue, quasi unanime, consiste à enseigner des œuvres françaises du Moyen Âge au romantisme (1850), ce qui est tout à fait défendable, souhaitable même. Des classiques français. *A priori*, j'approuve sans réserve ce choix. À dix-sept ans, on est censé être prêt à lire au-delà de sa propre réalité, à se transporter dans le temps et l'espace, à élargir sa culture générale, à s'approprier un niveau de langue élevé, à développer sa sensibilité à un contexte d'époque. Bref, on est censé être prêt à étudier des classiques.

Mais pour l'élève moyen et l'élève faible, la commande est lourde.

La commande est lourde, soit, mais si on choisit de faire lire des classiques, il faut aller jusqu'au bout. Comment enseigner un écrivain romantique, par exemple, sans revisiter le Siècle des Lumières et la Révolution française ? Comment enseigner un auteur de la Renaissance sans mettre l'accent sur l'humanisme, la découverte de l'Amérique, l'imprimerie, la chute de Constantinople, les guerres de religion, etc. ? Comment enseigner un auteur médiéval sans entrer dans le monde chrétien, le manichéisme, la superstition, la chevalerie, la féodalité, la formation de la langue française, etc. ? Tout cela doit être au menu quand on parle de littérature, à plus forte raison celle que l'on dit classique.

Étudier des classiques de la littérature française au niveau collégial devrait aller de soi. Mais quand on lit certaines analyses en 101, on est forcé de constater que la marche est beaucoup trop haute. Quelques exemples ? Voici une version théâtrale des PPP (partenariats public/privé) par monsieur Molière, dans *L'Avare* : « L'avarice d'Harpagon est tellement grande qu'il en vient à privatiser les gens autour de lui pour économiser encore plus. » Sur *Le dernier jour d'un condamné* de Victor Hugo, publié en 1829 : « C'est la chaise électrique qui attend le condamné ! » En 1829. La chaise électrique.

Je vous vois sourire. Véniel ? Soit, je vous l'accorde. Il y a moyen d'enseigner avec le sourire malgré ça. Mais derrière la pointe de l'iceberg, et surtout sous celui-ci, il y a l'iceberg lui-même. Lisez cette introduction portant sur *Le Dernier Jour d'un condamné* : « Victor Hugo a écrit des œuvres où une guerre entre le classique et le romantisme fut place. Au début de cette guerre, il était indécis du côté qu'il allait prendre part. Par contre, quand il fut un vainqueur, il a choisi enfin le romantisme. »

Choisir son combat après sa bataille...

Fascinant, non ?

C'est quoi l'idée ?

Après la lecture de classiques français, voici le second défi du 101 : l'analyse du contenu. Mais qu'entend-on par « analyse du contenu » ?

Sans entrer dans les détails, précisons d'abord que l'analyse du contenu doit s'appuyer sur des thèmes qui, une fois approfondis, aboutiront à la création d'idées. Et c'est là que ça se complique. La mort: comment l'auteur voit-il la mort ? La haine: de quelle sorte de haine s'agit-il chez ce personnage ? L'amour: dans ce roman, l'amour est-il vécu platoniquement ? Charnellement ? Spirituellement ? Etc.

Autrement dit, l'analyse du contenu doit amener l'élève à spéculer sur les intentions de l'auteur et à exprimer ses réflexions dans des phrases complètes, intelligibles. Voilà un autre écueil de taille pour l'élève moyen et l'élève faible : ces phrases, comment les formuler ? Jusqu'où peut-on aller ? Comment dépasser le simple résumé ? Comment s'assurer qu'on a bel et bien formulé une idée ? Comment enchaîner les idées entre elles ? Comment les illustrer ? Les commenter ? Les conclure ?

Dans ce genre d'exercice, la plupart des élèves, il faut bien le reconnaître, n'arrivent pas à dépasser le stade des évidences et des banalités.

Allons-y d'un exemple s'appuyant sur le thème de la colère dans *Notre-Dame de Paris*. L'élève doit créer une idée. S'il écrit, en guise d'idée directrice, que « l'archidiacre est en colère », sans plus, à mon avis il n'est pas rendu au collégial. Un thème n'est pas une idée. Voici un exemple de ce que l'élève devrait être capable d'exprimer dans une analyse en 101 : *La colère de l'archidiacre est liée aux démons intérieurs qu'il refoule.* Voilà. On donne vie au thème en identifiant son origine et on dépasse le résumé par l'extrapolation des faits.

Cela va de soi, direz-vous. Mais pour les élèves faibles et plusieurs élèves moyens, c'est hors de portée. Et je vous fais grâce de la suite de la démarche de rédaction : structurer les idées, expliquer les idées, illustrer les idées, commenter les citations, enchaîner les idées, clore les idées. Au fait, c'est quoi l'idée ?

T'sé genre style

Et ce n'est pas tout. Troisième défi : l'analyse du style.

Le style est nettement plus complexe à décoder que les idées, cela va de soi. Car si les idées sont perceptibles à travers les personnages et les situations, le style, lui, a tendance à se cacher derrière les mots, la structure, la mécanique du texte. Pour analyser le style, il faut donc jouer avec les perspectives : passer du récit à sa construction, du regard de l'auteur à son souffle, décortiquer sa structure narrative, suivre son rythme, interpréter ses changements de tonalité, circonscrire ses champs lexicaux, etc. Bref, il faut s'approcher de la démarche de création.

Imaginez la tête de l'élève faible à qui on demande de passer du récit à la mécanique du récit, lui qui n'arrive même pas à créer des idées ! Ça peut donner des réflexions comme celle-ci : « Les deux textes sont romantiques parce que les deux ont des images romantiques. » Ou encore : « Le style de l'auteur est excellent selon moi. Le roman aurait été complètement différent s'il n'aurait pas eu le style de cet auteur. »

???

Normal. Comment peut-on analyser le souffle d'un auteur quand on maîtrise à peine sa langue ? Comment évaluer la respiration d'un texte quand on ne lit qu'avec ses yeux ? Comment décortiquer une structure narrative quand on est à peine formé à « suivre une histoire » ?

L'analyse stylistique signifiante, disons-le, est hors de portée de la majorité des élèves, compte tenu de la pauvreté de leur formation.

Plus ou moins

Et ce n'est pas tout. Une fois que l'élève a tous les ingrédients (contenu, style, sensibilité d'époque), si tant est qu'il les a, le plus difficile reste encore à faire : il faut arrimer tout cela.

Et c'est là qu'on voit l'ampleur de la catastrophe. « La preuve que Claude Frollo est en colère, c'est qu'il y a un point d'exclamation à la fin de la phrase ! » Notez-le bien : pour appuyer sa « savante » observation, l'élève met un point d'exclamation à la fin de sa propre phrase ! Comme je le fais moi-même à l'instant ! Et pourtant, je ne suis pas en colère ! Et vlan ! C'est clair !

Eurêka !

On ne peut pas aller bien loin dans la démarche d'analyse avec des élèves aussi faibles. Alors, le prof, bien entendu, doit s'ajuster (euphémisme pour « niveler par le bas »), accepter la banalité, la pauvreté du regard. Pas le choix : la survie du prof dépend de sa capacité à s'adapter à son environnement. Darwin n'a rien inventé. Le prof doit donc apprendre à vivre avec la pauvreté de réflexion de la majorité. La *soft* tyrannie de la masse.

À la fin du 101, donc, les élèves faibles ainsi que la plupart des élèves moyens n'auront pas appris comment on fait le gâteau. Tout au plus sauront-ils nommer quelques ingrédients plus ou moins pertinents, dans un ordre plus ou moins logique. Ils n'analyseront pas : ils exposeront, plus ou moins. Plus ou moins : retenez l'expression. Vous comprendrez à la fin, plus ou moins, quand il sera question de l'ÉUF.

Style comme rapport ?

En quinze semaines, il est illusoire de penser qu'on puisse analyser convenablement le contenu et le style de trois œuvres littéraires dites classiques, exception faite des classes très fortes – il y en a. Le prof doit donc établir ses priorités. Celui qui tient mordicus à analyser le contenu en profondeur coupera sans doute dans l'analyse stylistique ou dans l'étude du contexte sociohistorique ; celui qui tient mordicus à l'analyse stylistique coupera sans doute dans l'analyse du contenu ou dans l'étude du contexte. Dans un cas comme dans l'autre, le résultat est que l'on enseigne à moitié, voire au tiers. Et quand on enseigne à moitié, difficile de susciter l'engouement. De faire passer le courant.

Voilà pour les exigences du 101. Elles sont tellement hors de portée de la majorité des élèves qu'elles forcent le prof à sacrifier des notions capitales, des notions qui donnent leur sens aux œuvres.

Quant à moi, s'il faut choisir, je sacrifie en partie l'analyse stylistique. Le commun des mortels, à plus forte raison l'élève faible, n'entre pas dans le monde des lettres en cherchant à comprendre comment l'auteur s'y est pris. Il y entre en s'abandonnant à des idées fortes, incarnées par des personnages forts dans des situations fortes. Le contenu. Le quoi. Le discours.

En littérature, l'étude du style est ce qu'il y a de plus rébarbatif et de plus difficile pour l'élève parce que sa propre langue ne va nulle part. Manque de vocabulaire. Difficultés de compréhension. Syntaxe pauvre. Réflexion nulle.

« Cette réplique-là, elle est tellement trop songée ! »

Je vous l'accorde, personne n'ira en enfer pour autant ; et les perles, je vous l'accorde aussi, sont de toutes les époques, de tous les pays, de toutes les langues. En faire le pivot d'une critique serait réducteur. Soit. Mais quand on lit ceci : « C'est à cause que Lancelot peut pas rien faire, fait qu'y retourne tout seul de là ce qui vient déçu », l'inquiétude monte. (Lancelot, ne pouvant rien faire, doit rentrer seul chez lui pour essuyer sa déception – au cas où chercheriez encore à décoder.)

Dans quelques années, qui sait, peut-être pourrai-je monnayer mon cahier de perles au musée des horreurs ?

Passeport pour l'éternité

L'élève qui a écrit cette « phrase » a son diplôme d'études secondaires en poche. On l'a accepté au cégep. Et, moyennant un peu de patience, il a des chances raisonnables de « réussir » tous ses cours de français ainsi que l'Épreuve uniforme. Comment est-ce possible ?

Parlons chiffres. Sortons de l'analyse et parlons chiffres. Techniquement, l'élève n'a besoin que de 57 % pour « réussir ». La note de passage est de 60 % mais, dans les faits, règle générale, on fait passer l'élève qui n'obtient que 57 %. Voyons de quoi est fait ce 57 %.

Le volet « écriture », c'est-à-dire les textes, ne compte généralement que pour la moitié de la note finale. Ça peut varier d'un cégep à l'autre mais, en gros, la moitié de la note de session vient des textes. Donc, 50 %.

L'autre part est constituée d'ateliers, de forums, de tests de lecture, de contrôles d'histoire littéraire, etc. Vous voyez le problème? Cette portion de l'évaluation ne vérifie pas les aptitudes de l'élève en écriture ou très peu. Alors, l'élève qui est faible en rédaction mais qui sait un peu lire, qui se présente à la plupart de ses cours et qui respecte les consignes décrochera peut-être une note de 40 sur 50 dans cette portion-là de l'évaluation. Il ne lui manquera alors que 17 sur 50 dans l'autre moitié, soit 17 sur 50 en rédaction... et il « réussira » son 101.

L'équivalent de 35 %. En <u>rédaction</u>.

La crème des crèmes

Vous avez bien lu : 35 %. Il est tout à fait possible qu'un élève faible « réussisse » son 101 en « maîtrisant » le volet écriture à seulement 35 %. Il est aussi possible qu'il échoue à l'analyse finale sans pour autant échouer au cours. Idem pour le 102 et le 103.

Vous m'objecterez que les cégeps, par l'intermédiaire de leur département de français, pourraient se montrer beaucoup plus sévères et refouler ces élèves-là à la porte du 101, quitte à ce qu'ils abandonnent leurs études, et vous avez raison. C'est la prérogative des cégeps, en effet. Mais il y a un fort prix à payer pour une diminution de clientèle, et la plupart des cégeps n'ont pas les reins assez solides pour envisager une mesure aussi draconienne. Sans parler bien sûr de l'omniprésente pression sociopolitique de la lutte au décrochage qui aplanit les élans les plus vitaux. « Le Québec a tellement peur du décrochage et de l'échec qu'il a banni la notion de l'effort », écrit Michèle Ouimet, journaliste spécialisée dans les questions d'éducation (*La Presse*, 7 janvier 2002).

Vous m'objecterez aussi que la pondération adoptée par les cégeps pourrait accorder une place beaucoup plus importante au volet écriture, et vous avez encore raison. *Mea culpa.* Mais ce n'est pas si simple. Une telle mesure s'inscrirait en faux contre toute une institution, une mouvance, une attitude sociétale à l'égard du français et de la littérature. Notre perpétuel conflit, notre relation amour/haine : on vote des lois musclées pour protéger notre langue, on dépense des fortunes pour faire la promotion de notre culture... mais on n'est pas foutu d'exiger que nos élèves maîtrisent leur propre langue et connaissent réellement leur culture, surtout pas littéraire. Ça prendrait donc un courage politique énorme de la part d'un cégep pour imposer, par exemple, que le volet écriture compte pour 80 % de la note finale. Et le courage politique, tout le monde le sait, ne mène nulle part s'il n'est pas appuyé par le pouvoir politique. Or, le pouvoir politique, c'est le ministère de l'Éducation... qui place la barre de son épreuve finale, au collégial, à la hauteur d'un élève du secondaire.

Dans ce contexte, essayez de hausser les seuils de réussite en 101 ! Essayez de vous montrer à la hauteur d'un vrai cours d'analyse de niveau collégial ! Vous m'en reparlerez. J'ai vu trop de jeunes profs zélés se brûler les ailes (dont moi) à force de défier la mentalité dominante pour croire qu'il est possible d'opérer ces changements-là à partir de la base.

Qu'il me soit néanmoins permis, en terminant, de suggérer une mesure de resserrement des exigences, valable pour tous les cours de français au collégial : le double seuil de réussite. C'est-à-dire 60 % comme note finale et 60 % dans la dernière rédaction puisqu'elle est garante de la maîtrise de l'écrit. C'est simple. Ça se gère facilement. Et ça lance un message clair à tout le monde : au collégial, on ne s'en tire pas sans savoir écrire, lire et réfléchir minimalement.

Le 102 et le 103: la dissertation

Puisqu'ils relèvent à peu près de la même démarche, j'aborderai le 102 et le 103 du même souffle.

102 : dissertation explicative.

103 : dissertation critique.

En gros, la dissertation explicative exige de l'élève qu'il explique en quoi une affirmation sur une œuvre est exacte alors que la dissertation critique lui demande de prendre position. Prenons par exemple *L'étranger* de Camus. En 102, un énoncé de dissertation pourrait consister à demander à l'élève de démontrer que les éléments naturels influent sur le destin du personnage principal. En 103, on va plutôt lui demander s'il est d'accord avec l'affirmation voulant que les éléments naturels influent sur le destin du personnage principal. Autrement dit, en 102, on doit défendre une idée imposée alors qu'en 103, on doit défendre sa perception.

L'écart entre les deux cours est donc assez mince.

En fait, la grande différence entre le 102 et le 103 se trouve dans le corpus de lecture. Le 103 s'intitule Littérature québécoise. C'est clair. Mais en 102, intitulé Littérature et imaginaire, que fait-on lire aux élèves ? Des œuvres du répertoire français : voilà tout ce que prescrit le devis. Les cégeps ont donc le champ libre. En général (sinon dans la totalité des cas), les œuvres étudiées en 102 sont du XIXᵉ et du XXᵉ siècle.

Entrons dans cet univers.

Les misérables

Une dissertation littéraire est un exercice de réflexion qui doit dépasser le stade analytique afin de présenter un regard synthétique sur une œuvre, sur une pensée, sur le monde. Qui plus est, cette réflexion, selon le devis ministériel, doit être abordée en fonction du *contexte culturel et sociohistorique.* C'est la spécificité du 102. Passionnant, non ? Pour sortir de soi, quel détour magnifiquement déstabilisant !

Mais vous devinez le hic : quand ils atterrissent en 102, trop d'élèves ne sont pas prêts à relever ce genre de défi. Ils manquent cruellement d'entraînement, de repères, de connaissances. Pour plusieurs, *Les Misérables* ne sont que des *cartoons* du samedi matin.

Vous dites qu'il revient aux profs de leur donner des repères? Soit, vous avez raison. Mais ce n'est pas si simple. La tâche est titanesque. Nous partons de très loin; et le 101, pour peu qu'il ait donné quelques repères, n'est qu'une goutte d'eau dans l'océan culturel. Pour l'élève faible, l'étude du contexte d'une œuvre, quelle qu'elle soit, est généralement trop complexe.

Mais qu'à cela ne tienne, c'est une exigence incontournable du 102, et pas seulement parce qu'elle est inscrite dans le devis : on ne peut guère traverser les XIXe et XXe siècles de la littérature française sans balayer au passage une somme considérable d'éléments contextuels et les mettre en rapport les uns avec les autres. Faire ce travail à moitié équivaudrait à ne pas le faire du tout. Par exemple, je ne peux pas imaginer qu'on enseigne Baudelaire sans évoquer la Révolution française et le romantisme, fut-ce brièvement; ou Sartre sans évoquer Marx, Nietzsche, l'empire soviétique, etc.; ou Saint-Exupéry sans entrer dans l'humanisme et la Deuxième Guerre mondiale.

Mais le problème du 102 est plus large, plus profond. Il ne se limite pas aux XIXe et XXe siècles français : il interpelle toute la culture générale de l'élève. En effet, comment « placer » Darwin-Marx-Freud-Nietzsche dans la tête d'un élève qui étudie Baudelaire, par exemple, s'il n'a rien retenu de la Révolution française? De la Renaissance? Du christianisme? De l'Antiquité? Et de quoi encore?

Le prof de 102 doit donc accepter de tourner les coins ronds, de schématiser, de réduire des sommes de réflexions à leur plus simple expression... en espérant ne pas trop contorsionner les faits. L'exercice est périlleux. Et le résultat, hélas, souvent misérable.

Baudelaire, ce drogué impénitent ?

Comme prof, je dois amener l'élève à « placer » tout ce qui est susceptible d'avoir influencé la genèse d'une œuvre (ou, à l'inverse, tout ce que cette œuvre a annoncé, influencé, suscité), afin de mieux la faire comprendre, de mieux la goûter, de mieux la vivre. Sinon, à quoi bon étudier la littérature?

Par exemple, en lisant *Les Fleurs du Mal*, on s'intéressera à la vie de Baudelaire dans ses grandes lignes : l'impact de la mort de son père puis du remariage de sa mère; son périple à vingt ans; son athéisme; son attachement à Paris; son mode de vie; ses démêlés avec la justice (la fameuse accusation d'immoralité contre *Les Fleurs du mal*).On se penchera également sur son processus de création, sur ses expériences avec les drogues et son jugement sévère dans *Les Paradis artificiels* (pour démolir le mythe du poète *permafrost*, Baudelaire n'ayant jamais fait l'apologie des drogues), sur son attachement aux formes classiques, etc. Bien entendu, on étudiera sa fameuse théorie des correspondances en parallèle avec l'omniprésence des symboles. Et ce n'est pas tout : les élèves devront réfléchir à l'impact de la montée du matérialisme et du capitalisme en Europe, à l'émergence de la bourgeoisie, aux conséquences des travaux de Darwin sur la pensée occidentale, etc. Vous voyez le portrait?

Il faut assumer. Le devis du 102 stipule qu'on doit étudier le contexte culturel et sociohistorique des œuvres, alors soit, assumons... tout en sachant fort bien que l'épreuve de sortie du ministère n'en tiendra pratiquement pas compte, comme nous le verrons dans la dernière partie.

Le complexe du simple

Parlons maintenant des questions de dissertation en 102.

Compte tenu de la complexité de l'univers culturel et sociohistorique des œuvres étudiées, vous conviendrez que les questions de dissertation doivent avoir un coefficient de difficulté suffisamment élevé pour être dignes de cette démarche. Par exemple, pour faire disserter les élèves sur « Les bijoux » de Baudelaire (voir annexe A), je ne peux pas, en mon âme et conscience, leur demander bêtement de prouver que ce poème célèbre la beauté féminine. Ce serait trop simple. Trop évident. Une telle réduction idéologique discréditerait à la fois le poème et la démarche pédagogique.

Je dois donc hausser le coefficient de difficulté de l'énoncé : ajouter un adverbe qui induise un glissement de sens, inclure une négation, lier le poème à une théorie, confronter le poème à la société française de l'époque, ajouter un deuxième thème qui force l'élève à établir une hiérarchie thématique, etc. Il y a mille façons de poser une question complexe qui force la réflexion au-delà des idées reçues et qui valide une démarche mettant la littérature en relation avec son contexte.

À ce stade, du reste, on a le devoir de le faire.

Voici quelques exemples d'énoncés, toujours sur le poème « Les bijoux », qui me semblent assez robustes pour être dignes de ce nom.

1. Dans « Les bijoux », Baudelaire ne célèbre pas essentiellement la beauté féminine. (Dépassement de l'évidence par la négation.)
2. Le poème « Les bijoux » illustre la théorie des correspondances de Baudelaire. (Cadre théorique complexe.)
3. « Les bijoux » est un poème célébrant l'Idéal à travers le trouble de l'artiste. (Allusion à un fondement de la poésie baudelairienne.)
4. « Les bijoux » fait partie des poèmes qui ont valu à Baudelaire le titre de « poète maudit ». (Contexte d'époque.)
5. La chute du poème « Les bijoux » peut être interprétée à la fois comme une rencontre charnelle et une élévation spirituelle. (Double interprétation.)

Vous voyez le genre d'écueils? Pour l'élève qui a passé son 101 sur les fesses, c'est plutôt costaud. Pour plusieurs autres aussi.

Mais au-delà des difficultés de l'élève, de tels énoncés engagent lourdement le prof sur le chemin de la correction. Imaginez 120 dissertations de plus de 800 mots sur ces sujets-là ! La plupart des dissertations étant lourdes à corriger parce que mal écrites (et mal écrites parce que mal pensées), le prof y réfléchira trois fois plutôt qu'une avant d'imposer des sujets aussi complexes. Et, de guerre lasse, il se contentera souvent de demander à l'élève de prouver des banalités, des évidences : « Le poème « Les bijoux » célèbre la beauté féminine. Démontrez. »

Le complexe du simple.

N'est-ce pas précisément ce que fait le ministère à l'ÉUF ?

Ce prof-là entre dans la spirale du nivellement par le bas, sans doute à son corps défendant. Mais peut-on vraiment le lui reprocher ? N'a-t-il pas lu des centaines, des milliers de ces formules creuses qui forcent le nivellement par le bas ? Savourez l'exemple suivant où l'élève commente cette phrase de *Terre des hommes* de Saint-Exupéry : *Il n'est de camarades que s'ils s'unissent dans une même cordée.* « C'est comme si il parlerait d'une cordée de bois coupé, en voulant dire que deux morceaux de bois peuvent être amis seulement si ils se trouvent dans le même tas de bois. »

Esprit critique : état critique

Le 103 maintenant. Littérature québécoise. Dissertation critique.

Je serai bref, car ce cours est intimement lié à l'Épreuve uniforme de français que devra subir l'élève à la fin de la session ; et c'est précisément l'ÉUF que je veux attaquer. La complaisance de cette épreuve me semble la cause du problème du 103 et de toute la séquence, non l'inverse.

En gros, le 103 vise à développer l'esprit critique de l'élève en comparant des textes de la littérature québécoise. Vu de l'extérieur, ce cours devrait être moins difficile que le 102 puisqu'on impose à l'élève un corpus qui est le sien et un discours qu'il connaît déjà. Mais il y a là aussi du sable dans l'engrenage.

Quel est donc le problème du 103 ?

Je ne vous parlerai pas de l'inculture générale et je passerai sous silence le fait que l'élève moyen connaît très mal sa propre culture. Vous le savez déjà. À ce stade, il me paraît plus urgent de parler du cœur du problème. L'argumentation. La pensée critique.

« Pour ma part, je crois qu'il est vrai d'être porté à croire que cette affirmation est véridique. »

En serez-vous surpris ? L'élève faible a beaucoup de difficulté à exprimer intelligiblement une opinion qui s'éloigne de son nombril. Plusieurs élèves moyens aussi, même devant une question simple. Le secondaire les a souvent mal préparés, c'est une évidence, et le cégep ne parvient pas à corriger cela.

« Dans les années 1960, les gens se font des idées sur tout et sur rien pour trouver un rapport à quelque chose en particulier. »

Le prof aura donc tendance à poser des questions simples, faciles, de niveau presque secondaire... d'autant plus qu'il sait qu'en fin de session, l'ÉUF posera des questions très simples – trop simples – aux élèves et s'organisera pour faire passer presque tout le monde.

Paradoxe sale

Tel est à la fois le paradoxe et le nœud du problème : le 103 est largement perçu par les élèves et les profs comme un cours visant à préparer l'Épreuve uniforme. Comment peut-il en être autrement? Même si le 103 et l'ÉUF sont deux choses distinctes, même si la note de l'ÉUF n'entre pas dans la note du 103 et même s'il est possible de réussir l'un et d'échouer à l'autre, l'ÉUF évalue exactement la même compétence que le 103. La dissertation critique.

Il est donc tout à fait normal que le prof de 103 se donne comme objectif de préparer ses élèves à l'ÉUF, comme il est tout à fait normal qu'il modèle son cours à l'image de l'ÉUF, en partie du moins. C'est une question de logique et de survie élémentaire. L'élève sait qu'une épreuve cruciale l'attend à la fin de la session et il réclame qu'on l'y prépare. Tout à fait normal. Le prof ne peut pas ignorer cela.

Comme l'Épreuve uniforme nivelle par le bas (nous le verrons plus loin), le prof aura tendance à se dire : pourquoi me montrer exigeant, pourquoi aller vers la complexité, pourquoi poser des questions complexes alors que le ministère?... Et, de guerre lasse, il formulera des questions de dissertation à la portée de tous, incluant les élèves faibles.

Certains profs suggéreront même aux élèves des idées pour leur argumentation.

Observons un exemple de question à partir de deux extraits : une pièce de Michel Tremblay, *À toi pour toujours ta Marie-Lou*, et un roman de Flora Balzano, *Soigne ta chute.* « Ces extraits exposent-ils de la même façon les blessures de l'enfance ? » Trop facile. Trop simple. Un seul pivot thématique ; deux courts extraits ; aucune ambiguïté ; aucun lien avec un aspect culturel extérieur aux textes. Bref, une question à la portée de n'importe qui, même d'un élève du secondaire. C'est pourtant le genre de question que le ministère pose à l'ÉUF.

Question de survie

Certains profs refusent d'entrer dans cette logique et n'hésitent pas à hausser le coefficient de difficulté. Reprenons la question précédente et mettons-la « à niveau » : « Dans leur quête de vérité sur les blessures d'enfance et leurs séquelles, Michel Tremblay et Flora Balzano, deux auteurs ayant vécu de près la Révolution tranquille, exploitent-ils de la même manière la culpabilité de leurs personnages ? »

Imaginez la tête de l'élève faible et de l'élève moyen. Il est question ici d'œuvres intégrales, non d'extraits. De quatre notions à démêler plutôt qu'une (quête de vérité, blessures d'enfance, séquelles, culpabilité). D'une relation de cause à effet entre le postulat et la question. D'un mot à chercher dans le dictionnaire (séquelles). Et d'une allusion précise au contexte d'époque. Qui plus est, on interpelle ici les auteurs autant que leurs textes, ce qui n'est pas rien : on passe de l'œuvre au créateur.

Voilà qui est de niveau.

Mais du point de vue du prof, c'est aussi de la corde pour se pendre. Car en termes de corrections, cela demande beaucoup plus de temps, de concentration et d'énergie que les dissertations calquées sur le modèle de l'ÉUF. Sans parler des récriminations des élèves faibles qui acceptent mal que les exigences d'un cours soient supérieures à celles de l'épreuve de sortie. Normal. Compréhensible. Prévisible.

Voilà pourquoi je glisse presque toujours, contre mon gré, une question de dissertation à la portée de l'élève faible. *Mea culpa.* Une bête question de survie. D'autant plus que je vois déjà dans le rétroviseur les premières cohortes de « réformés » qui s'en viennent...

Le 104 : porte d'entrée de la réforme ?

Je n'ai pas abordé le cas du 104, cours que l'on dit « propre au programme » de l'élève. En clair, c'est un bête cours de service. L'élève inscrit en sciences de la nature, par exemple, étudiera une œuvre ayant une portée scientifique ; l'élève de techniques juridiques lira *La Firme* de John Grisham, ou tout autre roman portant sur le monde la justice ; etc. On envoie dans la cour du français une obligation qui devrait être inscrite dans les devis des sciences de la nature, des techniques juridiques, etc. Un cours de service quoi. Tout à fait dans l'esprit de la réforme du primaire et du secondaire.

Si j'ai choisi de ne pas en parler, c'est tout simplement parce que ce cours suit le 103 et l'ÉUF (sauf exception) et que sa note n'entre pas dans la cote R de l'élève au moment où il fait sa demande d'admission à l'université, ce qui en fait un cours moins important que les autres.

Dans mon cégep, nous avons maintes fois tenté de nous opposer à la contrainte de « propre au programme » de ce cours. En vain. La Commission d'évaluation, instance supérieure qui veille à l'application des devis ministériels, nous oblige désormais à respecter cette dimension du cours. Le jugement est tombé comme une condamnation pour hérésie. Qui a dit que l'esprit de la réforme n'entrerait pas au cégep ?

L'épreuve uniforme de français

Ou le nivellement par le bas imposé par le haut.

L'épreuve de sortie en français, l'ÉUF, est obligatoire depuis le 1er janvier 1998. Elle sanctionne le DÉC tout entier : l'obtention de celui-ci est conditionnelle à la réussite de l'ÉUF. C'est dire à quel point cette épreuve semble capitale. Semble, dis-je bien. Car, dans les faits, c'est un secret de polichinelle : le pourcentage de « réussite » de l'ÉUF est nettement démesuré par rapport au niveau réel des élèves du cégep. Dopé, diraient les méchantes langues. Ainsi, bon an mal an, 85 % des élèves « réussissent » l'ÉUF du premier coup. Ceux qui échouent peuvent repasser l'épreuve autant de fois que nécessaire.

Pour l'élève fort, c'est une simple formalité. L'élève moyen, quant à lui, s'en tire assez facilement, règle générale. Et l'élève faible, sauf exception, parviendra à se faufiler à travers ses mailles s'il en a la patience.

Bref, tout le monde passe, ou presque.

Je ne remets pas en question la pertinence d'une telle épreuve. Elle a sans doute sa raison d'être. C'est plutôt la façon dont on s'en sert pour instrumentaliser la soi-disant « réussite » qui me paraît odieuse ainsi que le mensonge qu'elle cautionne. Toujours le même. La fuite en avant.

Voyons d'abord les aspects techniques.

L'élève doit être inscrit au 103 ou l'avoir réussi pour faire son ÉUF. Tous les élèves inscrits à l'épreuve la font en même temps. Ils disposent de quatre heures trente et n'ont droit qu'à trois manuels linguistiques de référence (dictionnaire, grammaire, code de conjugaison, par exemple). Les anthologies et notes de cours sont interdites. Les élèves ne savent rien des textes qu'on leur proposera, à moins bien sûr d'un hasard fort peu probable.

On leur remet un cahier où sont transcrits cinq textes (par exemple, deux poèmes, deux extraits de romans et un extrait de pièce de théâtre) ainsi qu'une feuille de sujets. Il y a toujours trois sujets.

Deux sujets impliquent une comparaison entre deux textes et un troisième sujet est rattaché à un seul texte. L'élève doit choisir.

Voici trois exemples de sujets, proposés à l'épreuve du 17 décembre 2003.

1. Dans les chansons proposées (*Ah que l'hiver* de Gilles Vigneault et *La Manic* de Georges Dor), le thème de l'éloignement est traité de façon similaire. Discuter.
2. Est-il juste de dire que, dans cette scène du *Bourgeois gentilhomme*, Molière ridiculise davantage l'élève que le maître?
3. Peut-on affirmer que le vide de l'existence est présenté de manière semblable dans les textes de Réjean Ducharme (*L'hiver de force*) et de Georges Perec (*Les Choses*)?

Des auteurs français et des auteurs québécois, du Moyen Âge à aujourd'hui. Les énoncés s'appuient toujours sur un seul thème.

Comme en 103, l'ÉUF est une dissertation critique. Elle est donc fortement liée au 103, mais pas exclusivement : Molière, par exemple, relève plutôt du 101 (classicisme) et Perec, auteur du XXe siècle, du 102. Qui plus est, l'épreuve tient compte de la démarche d'écriture du 101 et du 102 comme en témoigne cette note à l'intention de l'élève : *Vous soutiendrez votre point de vue à l'aide [...] de preuves relatives au contenu et à la forme* (101) *des textes proposés, preuves puisées dans ces textes et dans vos connaissances littéraires* (102) *qui conviennent au sujet de rédaction.*

Bref, on demande à l'élève de ratisser large et de revoir tout son parcours collégial. Difficile, angoissant, redoutable? Pas du tout. Car, dans les faits, on peut facilement contourner toutes ces exigences et « réussir » quand même l'ÉUF. L'élève peut s'en tirer sans glisser une seule « connaissance littéraire » et sans relever un seul élément formel. Autrement dit, sans revoir les fondements du 101 et du 102. Sans même en tenir compte.

Maison de tolérance

Comment expliquer cela ? Un bref retour en arrière s'impose.

Avant que la « réussite » de l'ÉUF ne devienne obligatoire pour l'obtention du DÉC, le ministère de l'Éducation a testé les connaissances littéraires et les capacités d'analyse des cégépiens : on s'est rendu compte que la moitié d'entre eux échouaient à cette partie de l'évaluation (Michèle Ouimet, *La Presse*, 2 juin 1997). En fait, c'était l'aspect le moins réussi, et de loin. On a donc réglé – pelleté – le problème en abaissant le niveau d'exigence et en diminuant substantiellement la place de ces deux aspects dans la grille d'évaluation. Ainsi, depuis 1998, on peut contourner impunément l'analyse formelle et les connaissances littéraires dans une dissertation critique. « Réussite » oblige.

Mentionnons par ailleurs qu'en 1996, deux ans avant que la réussite de l'ÉUF ne devienne obligatoire pour l'obtention du DÉC, on avait déjà allégé sa correction afin que le pourcentage de réussite passe de 50 % à plus de 80 %. Pourquoi ? Il était impensable que plus de 20 % des cégépiens échouent au premier essai : c'eut été reconnaître l'incurie de notre système d'éducation et la lâcheté de notre attitude sociétale à l'égard de notre langue maternelle. Un chiffre, ça prenait un chiffre et vite. Une cible, vite, une cible : 80 % et plus de « réussite ». Olé ! Sans égard au contenu. « Avant, écrit Michèle Ouimet dans *La Presse*, les correcteurs étaient très pointilleux ; maintenant ils sont plus tolérants. »

Tolérants ?

Depuis 1998, ce glorieux score a été maintenu. Mais la langue des élèves, la culture des élèves, la réflexion des élèves, elle, fait du surplace. Pire : j'ai l'impression qu'elle régresse et qu'elle régressera encore davantage quand arriveront les premiers « ti-namis » de la réforme.

L'école est-elle en train de devenir une maison de tolérance?

Le Père Noël existe : j'ai son adresse

Voyons maintenant la grille d'évaluation de l'ÉUF.

Il y a trois grands critères : argumentation, structure, langue. Chacun est divisé en sous-critères évalués de manière qualitative à l'exception de l'orthographe, de la syntaxe et de la ponctuation. Il faut obtenir au moins la cote C à chaque critère pour réussir l'épreuve. Mais il est possible d'échouer à un sous-critère sans pour autant échouer au critère. En cas d'échec, l'élève peut contester son évaluation. On appelle ça euphémiquement une « demande de révision ».

Un guide de correction de 120 pages (120 pages !) explique aux superviseurs et à leurs équipes de correcteurs comment ils doivent orienter l'évaluation de l'ÉUF. L'esprit qui anime ce guide est facile à décoder : on met tout en œuvre pour que l'élève passe. Autrement dit, on complexifie le processus d'évaluation au point où l'échec d'une rédaction devient très difficile à justifier.

Pourtant, l'introduction de ce long document laisse miroiter un souci de rigueur et d'exigence : *Le but de l'épreuve uniforme est de vérifier que l'élève possède [...] <u>les compétences en lecture et en écriture</u> pour comprendre des textes littéraires et pour énoncer un point de vue critique qui soit pertinent, cohérent et écrit dans une langue correcte.* (Le soulignement n'est pas de moi.) Immédiatement après, on reprend les mêmes informations de façon schématique, comme pour s'assurer qu'on a été bien compris :

L'élève doit démontrer qu'il possède les compétences suivantes :
. la capacité de comprendre des textes littéraires;
. la capacité d'énoncer un point de vue critique pertinent, cohérent et convaincant;
. la capacité de rédiger un texte structuré;
. la capacité d'écrire dans un français correct.

Rigueur et exigence ? Pas du tout. Une passoire : tel est le mot employé par Suzanne Chartrand, professeure de didactique du français à l'Université de Montréal. Or, pour comprendre ce jugement sévère, analysons d'abord les seuils de passage.

Pour « réussir » l'ÉUF, répétons-le, il faut obtenir au moins C dans chacun des trois grands critères : argumentation, structure, langue. *La cote C représente un niveau de compétence jugé suffisant.* (Le soulignement n'est pas de moi.) Ces critères comportent des sous-critères : il y en a trois en argumentation, deux en structure et deux en langue. Chaque sous-critère comporte trois *aspects que l'élève doit maîtriser.* Ce sont ces aspects que l'on évalue, avec des lettres de A à F.

La grille d'évaluation compte 18 aspects. Par exemple, en structure, l'aspect *enchaînement des idées* fait partie du sous-critère *développement, organisation et construction des paragraphes.*

Maintenant, êtes-vous prêts pour le festival des aberrations ?

En argumentation et en structure, fondements mêmes de la dissertation, tout ce qu'il faut pour obtenir C, c'est *démontre[r] qu'[on] maîtrise un aspect, qu'un autre est plus ou moins maîtrisé et qu'un troisième ne l'est pas.* (Démontrer qu'on ne maîtrise pas un aspect ?) Autrement dit, quand un des trois aspects est maîtrisé, l'élève passe. Un sur trois. 33 %. Réussite. Mais il y a pire. L'élève peut aussi obtenir C et « réussir » en *démontr[ant] qu'il maîtrise plus ou moins les trois aspects.* Plus ou moins. C'est-à-dire qu'aucun des trois aspects n'est maîtrisé... et on passe.

On doit démontrer « plus ou moins ». Alors, permettez-moi d'y croire plus ou moins. Au fait, au Québec, quand on dit « plus ou moins », c'est surtout le dernier mot qu'on retient, non ?

– Salut, ça va ?

– Bof, plus ou moins.

– Ah...

C'est sans doute un relent de notre culture Père Noël.

– T'as été fin cette année ? Bravo, un cadeau pour toi. Et toi, t'as été plus ou moins fin cette année ? Bon, voyons... un cadeau quand même... mais promets-moi que tu vas essayer de t'améliorer.

– Oui, Père Noël.

Le Père Noël est une ordure

À titre d'exemple, analysons maintenant les résultats de l'ÉUF de décembre 2004 où 86 % des élèves ont « réussi ».

Les échecs se répartissent comme suit : 3,8 % en contenu ; 0,5 % en structure ; et 9,6 % en langue (ministère de l'Éducation, 3 mars 2005). Les résultats des années précédentes sont en tous points similaires.

Que révèlent ces chiffres ?

D'abord, un élève sur dix trouve le moyen d'échouer en langue, alors que la grille d'évaluation tolère jusqu'à 30 fautes dans un texte de 900 mots... avec dictionnaire, grammaire et guide de conjugaison ! Trente fautes, seuil officiel. Trente-cinq, seuil officieux – tolérance oblige. C'est énorme, évidemment. Mais dans les faits, le guide de correction se montre encore plus laxiste. Allons voir.

D'abord, les erreurs de ponctuation sont considérées comme des demi-fautes. Au-delà de 20 fautes de ponctuation, on cesse de compter. Impossible donc de perdre plus de 10 points en ponctuation – c'est-à-dire 20 demi-fautes. Pire encore, *on ne compte qu'une erreur pour tout le texte pour* [...] *l'omission des deux-points devant une citation* ainsi que *l'absence de guillemets au début et à la fin d'une citation.* Les profs de français se tuent depuis le secondaire à répéter qu'une citation doit être introduite par les deux-points (sauf exception) et encadrée de guillemets... Qu'à cela ne tienne : au *photo-finish* du collégial, on considère que ça n'a pratiquement aucune importance.

Également, les erreurs d'accents et de majuscules sont considérées comme des demi-fautes. Et *on ne compte pas d'erreur pour l'absence ou la présence erronée d'un accent lorsque le mot est bien orthographié ailleurs dans le texte.* Si on écrit le mot « théâtre » une première fois, avec l'accent circonflexe, mais qu'un peu plus loin on écrit « théatre », eh ben tant pis, ça passe, y a pas de quoi en faire un drame. Ou un *drâme*, c'est pareil.

Par ailleurs, chaque faute d'orthographe d'usage ne peut être comptabilisée qu'une seule fois. (On entend par erreur d'orthographe d'usage *toute erreur à un mot qui fait l'objet d'une entrée au dictionnaire*, c'est-à-dire tous les mots qui s'écrivent selon l'usage, sans qu'il y ait de règle de grammaire : adresse et non *addresse*, mariage et non *marriage*, parmi et non *parmis*, etc.) L'élève aura beau écrire *personage* 10 fois, ça ne lui fera qu'une faute. Et cela vaut aussi pour les expressions toutes faites comme « figures de style » : si l'élève met un « s » à style trois fois, par exemple, il ne sera pénalisé qu'une seule fois. Plus étonnant encore, le guide de correction précise qu'on ne peut compter qu'une seule erreur par mot. Si l'élève écrit *dénoumant* au lieu de dénouement, il n'aura qu'une faute.

Par ailleurs, si un mot mal orthographié fait partie d'un groupe de mots comportant une erreur de syntaxe, la faute d'orthographe ne sera tout simplement pas comptabilisée. *L'erreur de syntaxe a priorité sur l'erreur d'orthographe.* « Le marriage qu'il se souvient de » : une seule faute.

Côté grammaire, maintenant, voyons quelques aberrations.

On ne compte qu'une erreur lorsque tous les mots d'un groupe régis par une même règle d'accord ne sont pas accordés comme ils devraient l'être. « Les maison noire » : une seule faute.

On ne compte qu'une erreur pour les participes, les infinitifs ou les verbes conjugués coordonnés ou placés dans une énumération lorsqu'ils ne sont pas orthographiés correctement. « Ils ont volés, saccagés, pillés » : une seule faute.

Pas mal, pour un critère qui se targue d'être quantitatif !

Vous venez de comprendre qu'un élève peut faire plus d'une centaine d'erreurs de français dans un texte de 900 mots sans échouer à l'ÉUF pour autant. Nous vivons à l'ère de la « réussite ».

Enfin, le vocabulaire, évalué qualitativement, est un sous-critère divisé en plusieurs aspects. L'élève obtient la cote C, « maîtrise suffisante », quand *le vocabulaire employé est plus ou moins précis et/ou plus ou moins approprié à la situation de communication*; quand *le vocabulaire est plus ou moins varié et/ou l'expression est plus ou moins riche* ; ou quand *la clarté de l'expression de l'élève est plus ou moins bonne.*

Plus ou moins. Maison de tolérance. Plus ou moins.

On est au collégial. C'est l'épreuve de sortie. Plus ou moins.

Comprenez-vous pourquoi de nombreux profs y croient « plus ou moins » ?

Je dis qu'il faut abaisser le seuil de fautes à 20, maximum, quitte à provoquer une hécatombe. Après tout, ces élèves finissent leur cégep, ils ont entre les mains un dictionnaire, une grammaire et un guide de conjugaison... et on leur donne la possibilité de faire un nombre incalculable de fautes dans un texte de 900 mots!?

Il est temps que les cégépiens ressentent l'urgence de maîtriser réellement leur langue et qu'ils comprennent la nécessité d'apprendre à se servir d'un dictionnaire, d'une grammaire et d'un guide de conjugaison. Bref, qu'ils soient un peu fouettés par la peur de l'échec. La saine peur.

J'en ai ras le bol de cette tolérance hypocrite, lâche, défaitiste.

Vingt fautes, maximum, ce serait enfin sérieux. Sinon, l'ÉUF est une parodie d'épreuve. Avec un maximum de 20 fautes, le taux d'échec bondirait au début, sans aucun doute, peut-être même jusqu'à 50 %. (« En 2001-2002, 41 % des élèves ont obtenu C au critère langue en faisant entre 21 et 33 fautes », écrit Anne-Marie Voisard dans *Le Soleil* du 14 décembre 2004.) D'un point de vue socioéconomique, ce serait une pilule à avaler, soit. Mais à long terme, on y gagnerait. Car en plus d'être honnête, ça aurait le mérite d'être clair. Vingt fautes, maximum, pas de demi-fautes, pas de fautes non comptées, pas d'entourloupettes. Une erreur, une faute.

Imaginez la force du message qu'on enverrait au secondaire. Au primaire. Aux parents. À tous les profs du Québec.

Pourquoi, je vous le demande, un message coercitif serait-il nécessairement mauvais? Pourquoi la tolérance serait-elle nécessairement une vertu?

Srtutcure

Retenons de ces statistiques de l'ÉUF qu'il n'y a presque aucun échec en structure. 0,5 % pour être exact.

C'est donc dire, selon le ministère de l'Éducation, que seulement 1 élève sur 200 n'arrive pas à structurer sa dissertation convenablement. Cela ne correspond pas du tout à la réalité. Il y a beaucoup plus que 0,5 % des élèves qui ont de sérieuses difficultés en structure. Mais le ministère, dans son épreuve de sortie, refuse de le reconnaître.

Ainsi, un texte maladroitement structuré passera quand

même, si l'on peut, à la limite, arriver à le décoder après trois lectures. L'important est que l'élève réponde « en partie » aux exigences du critère. (Bonjour l'école primaire, bonjour la réforme!) Maîtrise suffisante : *L'introduction est plus ou moins claire et pertinente. La conclusion est plus ou moins claire et pertinente.* Maîtrise suffisante : *L'élève maîtrise plus ou moins l'enchaînement et la progression des parties et des phrases de l'introduction et de la conclusion.* Maîtrise suffisante : *L'organisation formelle du développement est plus ou moins cohérente.* Maîtrise suffisante : *Les paragraphes sont plus ou moins bien construits.* Maîtrise suffisante : *Les enchaînements entre les paragraphes et entre les phrases sont plus ou moins bien faits.*

Abracadabra

Permettez-moi une remarque au sujet de la conclusion. Celle-ci doit normalement présenter un rappel de l'argumentation ainsi qu'une ouverture. Or, le guide de correction est clair : l'ouverture est facultative. *L'élève pourrait se contenter de fermer son travail par un rappel de ce qu'il fallait démontrer et par sa réponse.*

Pourquoi une telle largesse ? C'est simple : la plupart des élèves n'arrivent pas à faire une véritable ouverture. Ils lancent une bête question en l'air et n'attendent même pas qu'elle descende pour la reprendre au vol. « L'auteur aurait-il écrit la même chose s'il avait vécu en 2006 ? » Bravo, ma grande. De toute évidence, si le MELS évaluait l'ouverture de la dissertation, en imposant par exemple que l'élève fasse appel à une « connaissance littéraire », le pourcentage d'échec pourrait grimper. Alors hop! on élimine l'écueil : l'ouverture devient facultative.

On ne balaie même plus le problème sous le tapis. On le fait carrément disparaître.

Tadam.

Culture myope

Enfin, l'argumentation, le cœur de la dissertation.

On constate que moins de 4 % des élèves ont échoué à l'ÉUF en argumentation. Précisément 3,8 %. Quoi? C'est donc dire que 96 % des cégépiens savent argumenter? Pure foutaise. « Ce personnage est cultivé parce qu'il porte des lunettes », lit-on dans une copie de 103... deux semaines avant l'ÉUF.

Nous touchons ici à la culture de la myopie.

Il faut toutefois reconnaître qu'avec des questions de dissertation aussi faciles que celles que nous avons vues, il n'est guère étonnant que l'on se montre si peu exigeant.

Voyez par vous-même. Maîtrise suffisante : *L'élève développe des éléments de façon plus ou moins appropriée ou de façon plus ou moins cohérente.* Maîtrise suffisante : *Le point de vue critique présenté par l'élève est clair, mais plus ou moins cohérent ou constant.* Maîtrise suffisante : *Les arguments sont plus ou moins cohérents et convaincants, ou ils sont plus ou moins bien reliés au sujet de rédaction ou au point de vue de l'élève.* Maîtrise suffisante : *Les illustrations ou les preuves sont plus ou moins pertinentes.* Maîtrise suffisante : *Les explications de l'élève sont plus ou moins efficaces.* Maîtrise suffisante : *L'élève ne sait dégager qu'en partie les idées et les thèmes reliés au propos des textes proposés ainsi que les significations justes des mots et des phrases.* Maîtrise suffisante : *Les « connaissances littéraires formelles » sont justes, mais elles sont plus ou moins pertinentes; les connaissances littéraires formelles sont plus ou moins justes ou plus ou moins pertinentes.* Maîtrise suffisante : *Les « connaissances littéraires générales » sont justes, mais elles sont plus ou moins pertinentes; les « connaissances littéraires générales » sont plus ou moins justes ou plus ou moins pertinentes.*

La dissertation critique, doit-on le rappeler, vise à démontrer la capacité d'un élève à prendre position sur un sujet *à l'aide d'arguments cohérents et convaincants*, dit le guide de correction (sans glisser de « plus ou mois »), *et à l'aide de preuves tirées des textes proposés et de ses connaissances littéraires.*

Bonjour la cohérence. On veut des arguments cohérents, mais on ne l'est même pas dans la gestion de l'évaluation.

Des pommes et des oranges

Cela dit, les correcteurs et superviseurs de l'ÉUF ne sont pas responsables de cet état de fait. Ils obéissent à des consignes qui viennent d'en haut, consignes que l'on peut paraphraser ainsi : organisez-vous pour avoir un taux d'échec raisonnable, c'est-à-dire autour de 15 %, peu importe la qualité. On vise des chiffres. Pas la maîtrise : des chiffres. Et ce chiffre, c'est 15 % d'échec. Ce chiffre est raisonnable, dit-on, parce qu'il correspond au taux d'échecs en 103 dans l'ensemble des cégeps. Cela est vrai. Mais un tel raisonnement ne tient pas la route : on compare des pommes et des oranges. D'abord, l'ÉUF évalue un seul objet, la dissertation, alors que le 103 évalue plusieurs objets : ateliers, tests de lecture, forums d'échange, contrôles d'histoire littéraire, etc.

Par ailleurs, toutes les évaluations du 103, à l'exception de la dernière, ont lieu <u>pendant</u> le processus d'apprentissage : on n'évalue donc pas des compétences finales, contrairement à l'ÉUF. Quand je donne 4 sur 5 à un élève pour un atelier, je ne prétends pas qu'il maîtrise la dissertation à 80 %. Je prétends qu'à ce stade de la session, il a 4 sur 5 pour ce qui est demandé. Idem pour les deux premières dissertations : comme l'élève n'est pas rendu au terme de sa démarche d'apprentissage, je ne l'évalue pas avec le même niveau d'exigence que pour l'ultime dissertation. Cela va de soi.

Or, l'ÉUF, elle, représente bien plus qu'une ultime dissertation : elle est l'ultime épreuve de français obligatoire en études pré-universitaires et elle se drape de la prétention d'englober toute la séquence du français au collégial (101, 102, 103). On ne peut donc pas comparer les résultats de l'ÉUF aux résultats du 103. Et encore moins justifier la hauteur de la barre de l'ÉUF en fonction de la moyenne provinciale en 103.

Il est malhonnête de se cacher derrière les résultats du 103 pour justifier les faibles taux d'échecs à l'ÉUF.

Le facteur humain

S'ajoute à cela le facteur le plus important : le facteur humain. Le MELS ne connaît pas les élèves. Il ne voit pas les élèves. Il est donc dans la position idéale pour se montrer rigoureux, intransigeant même, puisqu'il ne subit pas au quotidien la pression des relations humaines. Le prof de 103, lui (comme le prof de 101 et de 102), interagit, forme, motive ses élèves à mesure qu'il leur fait subir des évaluations. Il doit tenir compte du facteur humain. Tout est affaire de dosage. Il doit graduer l'apprentissage et tenir compte, dans une certaine mesure, de la capacité de ses élèves à encaisser les coups. Qu'on le veuille ou non, ce facteur est bien réel. Le MELS, lui, n'a pas à graduer quoi que ce soit : il doit juger. Pourquoi ne le fait-il pas plus sévèrement ? Pourquoi accepte-t-il que des cohortes de diplômés du collégial ne sachent pas mieux lire, mieux écrire, mieux réfléchir ?

Enfin, les conditions dans lesquelles le prof évalue les rédactions, à l'exception peut-être de la toute dernière, me paraissent nettement plus difficiles que celles des correcteurs de l'ÉUF. Quand un prof a 120 dissertations à corriger en deux ou trois semaines et qu'en plus il doit enseigner, préparer des cours, assister à des réunions et *tutti quanti*, il doit forcément tourner certains coins ronds, aller au plus pressant, cibler certaines faiblesses – quitte à en échapper ici et là. Le travail du correcteur de l'ÉUF est totalement différent : il ne fait que cela. Il n'a pas à expliquer ses corrections aux élèves et on lui paie le luxe (!) de 45 minutes par rédaction. Le prof, lui, doit « gérer » ses corrections avec la moitié moins de temps, soit une vingtaine de minutes par rédaction, sinon il rogne dangereusement sur son sommeil... et multiplie les risques d'épuisement professionnel. Avec trois rédactions par session, la charge de correction est d'environ 120 heures, réparties sur trois mois. Faites le calcul : 10 heures par semaine en moyenne pendant 12 semaines. Dix heures qui s'empilent sur les heures d'enseignement, de préparation de cours, de correction des autres contrôles, de réunions, etc.

Là où ça fait mal

Le MELS doit faire autorité. Voilà des années que la base se plaint. Les profs ont besoin de sentir que les têtes dirigeantes ont de la vision, de la rigueur, du courage. Comme l'élève a besoin de sentir que son prof a de la vision, de la rigueur et du courage. C'est dans l'ordre des choses.

Il est grand temps que l'étage supérieur réagisse et cesse de ronronner ses discours creux sur la « réussite ».

Il y a un leadership à assumer. Là où ça fait mal.

Sur leur feuille d'évaluation, l'élève moyen et l'élève faible qui « réussissent » l'ÉUF ne verront que la mention « réussite ». Ils ne verront pas tous les « plus ou moins » que cela implique. Ils ne verront pas la pauvreté de leur texte, même s'ils s'en doutent. À la limite, ils s'en foutent un peu puisqu'ils passent. Et ils savent que cette épreuve n'a aucune incidence sur leur note de 103, pas plus que sur leur cote R. Imaginez la tête de l'élève faible qui apprend qu'il a « réussi » l'ÉUF. Imaginez ce qu'il est en train de se dire.

- *Cool*! J'sais lire, écrire pis réfléchir. J'peux au moins entrer en enseignement à l'université !

Imaginez aussi sa réaction s'il échoue au 103... puis « réussit » l'ÉUF.

- C'est con ! Je passe l'épreuve, mais je coule le cours !

Il contestera. Se plaindra. S'assoira sur sa « réussite » à l'ÉUF.

Avec raison.

Présumé innocent

Selon l'approche du MELS telle qu'on la décode dans le guide de correction de l'ÉUF, c'est à l'évaluateur qu'il revient de démontrer que l'élève n'est pas convaincant dans son argumentation et non à l'élève de démontrer qu'il l'est. Je répète : c'est à l'évaluateur qu'il revient de démontrer que l'argumentation n'est pas convaincante et non à l'élève de démontrer qu'elle l'est.

Ce n'est pas un détail. Tout est là. En droit, c'est même la prémisse de notre code criminel : tout accusé est présumé innocent tant que sa culpabilité n'est pas établie hors de tout doute raisonnable. Dans cette optique, on demandera aux correcteurs et aux superviseurs confrontés à une rédaction boiteuse de prouver hors de tout doute que l'élève n'a pas atteint l'objectif. Hors de tout doute. Auquel cas il y aura effectivement échec. Mais si la démonstration est confuse sans être totalement anarchique, ou bancale mais sans être carrément cul-de-jatte, l'élève passera. On lui accordera le bénéfice du doute. Systématiquement.

Dans les cas limites, correcteurs et superviseurs s'y mettront à plusieurs pour s'assurer que l'élève est bel et bien en échec afin d'éviter de faire une autre « victime ». Ah, la culture de la victimisation... On s'arrachera les cheveux pour trouver quelques malheureux points ici et là qui permettront à l'élève de passer. Voilà une aberration qui place le correcteur constamment en position défensive : s'il a un doute sur la valeur d'un argument, par exemple, le bénéfice du doute sera presque automatiquement accordé à l'élève. Si une phrase plus ou moins claire est quand même décodable, à la grosse limite, en devinant un peu, l'élève s'en tirera. Et ainsi de suite. On n'exigera pas que l'élève soit clair : on exigera qu'il le soit en partie. Qu'il le soit « plus ou moins ». Diplomation oblige.

Régression au stade primaire

Quant aux sujets de l'ÉUF, relisez ceux de décembre 2004 et répondez-moi franchement : peut-on s'entendre pour dire qu'ils sont à la portée de n'importe qui ou presque? En voici d'autres du même acabit : *Dans l'extrait proposé, les pauvres sont-ils présentés de façon uniquement négative?* (Mai 2001) ; *Les auteures traitent-elles du thème de l'étranger de la même manière?* (Mai 2005) ; *A-t-on raison de dire que, dans les extraits proposés, le lion inspire la crainte?* (Décembre 2005)

Les questions vont rarement plus loin que ça. Ce qui n'empêche pas le guide de correction de claironner que *l'élève doit démontrer qu'il a bien compris le sens de la question, qu'il en a interprété justement les différents éléments.* On n'en finit plus d'être exigeant.

Toutes les questions de l'ÉUF s'appuient sur un seul pivot thématique et celui-ci, généralement, est à la portée d'un élève de niveau secondaire.

Tant qu'à y être, pourquoi pas de niveau primaire?

Pour vérifier cette hypothèse, j'ai fait passer l'ÉUF de mai 2005 à une élève de sixième année. (Voir question et textes, annexes B à E.) Une élève forte, je le précise, mais pas nécessairement un génie : une élève qui sait lire, écrire, réfléchir et qui est stimulée intellectuellement à la maison.

J'ai ensuite fait lire sa dissertation à d'ex-superviseurs de l'ÉUF. Selon eux, l'élève aurait eu la mention « réussi ». Elle ne savait pas ce qu'était une dissertation. Elle n'avait jamais suivi un cours de littérature. Elle n'avait jamais analysé la forme d'une œuvre et n'avait aucune idée de ce qu'est un « contexte sociohistorique ». En quelques minutes, je lui ai expliqué l'abc de la dissertation (intro, développement, conclusion) et elle s'est exécutée sans aide extérieure, outre le dictionnaire. Réussi. Olé.

Le 1er mars 2001, *Le Devoir* publiait un dossier intitulé « L'école en crise » où l'on rapportait les paroles d'un prof de cinquième secondaire au sujet de l'épreuve de français du ministère au secondaire : « Donnez-moi des élèves de secondaire III pendant une semaine et je les prépare pour passer leur examen de français de secondaire V les deux doigts dans le nez et avec une note acceptable ! »

J'ai administré l'épreuve du collégial à une élève du primaire. Sans préparation. Et avant même qu'elle lève le crayon, j'étais convaincu qu'elle « réussirait ».

Dans cinq ans, quand les « réformés » se présenteront à l'ÉUF, mon fils aura huit ans. Il sera en deuxième année. C'est un rendez-vous. Et je ne suis même pas sûr de faire une blague.

Conclusion

Dans leur rapport sur les états généraux sur la langue, en 2001, les commissaires déploraient les déficiences, « constantes et qui semblent tolérées par le système », des jeunes Québécois. Toujours selon eux, notre système d'enseignement acceptait encore une maîtrise insuffisante du français et cette situation représentait «la principale menace à la vitalité du français, voire à la survie du principal terreau de la langue française en Amérique[184] ». Qu'a-t-on véritablement changé au réseau de l'éducation depuis ce temps pour assurer une plus grande maîtrise de la langue française ? Ceux qui répondront que le *renouveau utopique* améliorera les choses sont de dangereux rêveurs ou des fumistes.

Pendant qu'on parle sans cesse d'économie du savoir, nous constatons que notre gouvernement ne cherche qu'à économiser dans le domaine du savoir et nous nous demandons comment le Québec répondra aux défis posés par la mondialisation alors que la nouvelle génération ne maîtrise même pas sa langue maternelle. Quant à nous, la façon dont on enseigne actuellement le français est la preuve éclatante de l'inefficacité gouvernementale, de la bêtise de nos pédagogues universitaires et de l'hypocrisie de nos concitoyens quant à leur véritable identité de « Franco-Québécois canadien-français d'expression française d'Amérique du Nord britannique[185] ».

Et nous sommes désespérés de voir le ministre de l'Éducation sourire alors que l'enseignement du français est plus que lamentable ! Il devrait plutôt écouter *ses* enseignants qui lui crient depuis des années leur détresse et leur désarroi. Le monde de l'éducation au Québec est mal en point et a besoin de solutions autres que la pensée magique d'un *renouveau féerique.* Ce dernier avait pour but de contrer

[184] « Oui, l'enseignement du français va mal », *Le Devoir*, mardi 21 août 2001, page A5.

[185] Une savoureuse expression d'Elvis Gratton.

le décrochage. Or, on sent qu'il est en train de produire exactement l'effet inverse et que la prochaine génération risque d'être moins instruite.

Au fond, notre société a peut-être le système de d'éducation qu'elle mérite, simplement. Que celui-ci décerne des diplômes à des analphabètes fonctionnels qui ont pourtant suivi 2 736 heures d'enseignement du français de l'école primaire au cégep n'a rien d'étonnant.

En tant qu'enseignants et comme Québécois, nous sommes très inquiets quand nous pensons à tous ces jeunes, naïfs, qui sortent des écoles et qui croient connaître leur langue. Et parfois, il nous arrive d'avoir honte d'être, à notre manière, partie prenante de ce grand mensonge de l'éducation.

Si on ne peut refaire la société québécoise, il existe des pistes de solution pour améliorer la qualité de l'enseignement du français. Elles sont dans les écoles, dans les cégeps. Ce sont souvent des enseignants qui les détiennent. Ce sont eux qui aiment le plus leur métier, leurs élèves. Ce sont eux qui parlent le langage du cœur et non de l'argent ou des programmes d'enseignement. Ils insistent sur des groupes de plus petite taille, sur une véritable relation maître-élève, sur une plus grande rigueur dans l'évaluation, sur des investissements réels dans les ressources éducatives.

Ces pistes doivent venir de la base. Or, pour l'instant, ce sont les hautes sphères du ministère qui imposent une pédagogie réductrice qui nivelle par le bas le potentiel de notre jeunesse.

Ces pistes, quoi qu'en disent certains, sont aussi dans la lutte contre la pauvreté et la détresse humaine. De tous les facteurs reliés au décrochage, celles-ci sont les premières raisons des insuccès scolaires des jeunes Québécois. Mais tant et aussi longtemps que l'éducation sera une assiette au beurre pour tous les *petits amis* du pouvoir, les élèves apprendront peu.

S'il y a dix ans, le système d'éducation avait besoin d'une sérieuse remise en question, force est de constater aujourd'hui que, par dogmatisme pédagogique, on se lance sans véritable préparation dans la périlleuse aventure du renouveau pédagogique. Les élèves méritent mieux, nos enfants méritent mieux. La réforme n'a pas que du mauvais, même s'il est facile de constater que plusieurs des formes d'apprentissage et d'évaluation qui y sont reliées sont problématiques. Certains aspects de cette approche méritent d'être appliqués à l'école québécoise. Cependant, le danger pour l'instant, c'est qu'on impose toute cette philosophie sans aucun discernement à un système qui a bien d'autres crises à régler. De plus, cette réforme nous aurait davantage convaincus si elle avait été instaurée avec rigueur et si on lui avait donné les moyens de ses ambitions.

Un temps de réflexion s'impose donc.

Et il faudra, un jour ou l'autre, se poser la véritable question : veut-on vraiment que tous les jeunes Québécois sachent bien écrire et bien parler? Pour l'instant, on nage dans une incertitude malsaine qui ressemble à de l'hypocrisie et à du mensonge. Si la maîtrise du français n'est pas une priorité au Québec, qu'on cesse de décerner des diplômes à rabais à des jeunes incapables d'écrire deux phrases sans fautes, qu'on ne rende plus obligatoire le cours de français pour l'obtention d'un diplôme d'études secondaires ou collégiales. Soyons conséquents avec notre bêtise ou… agissons.

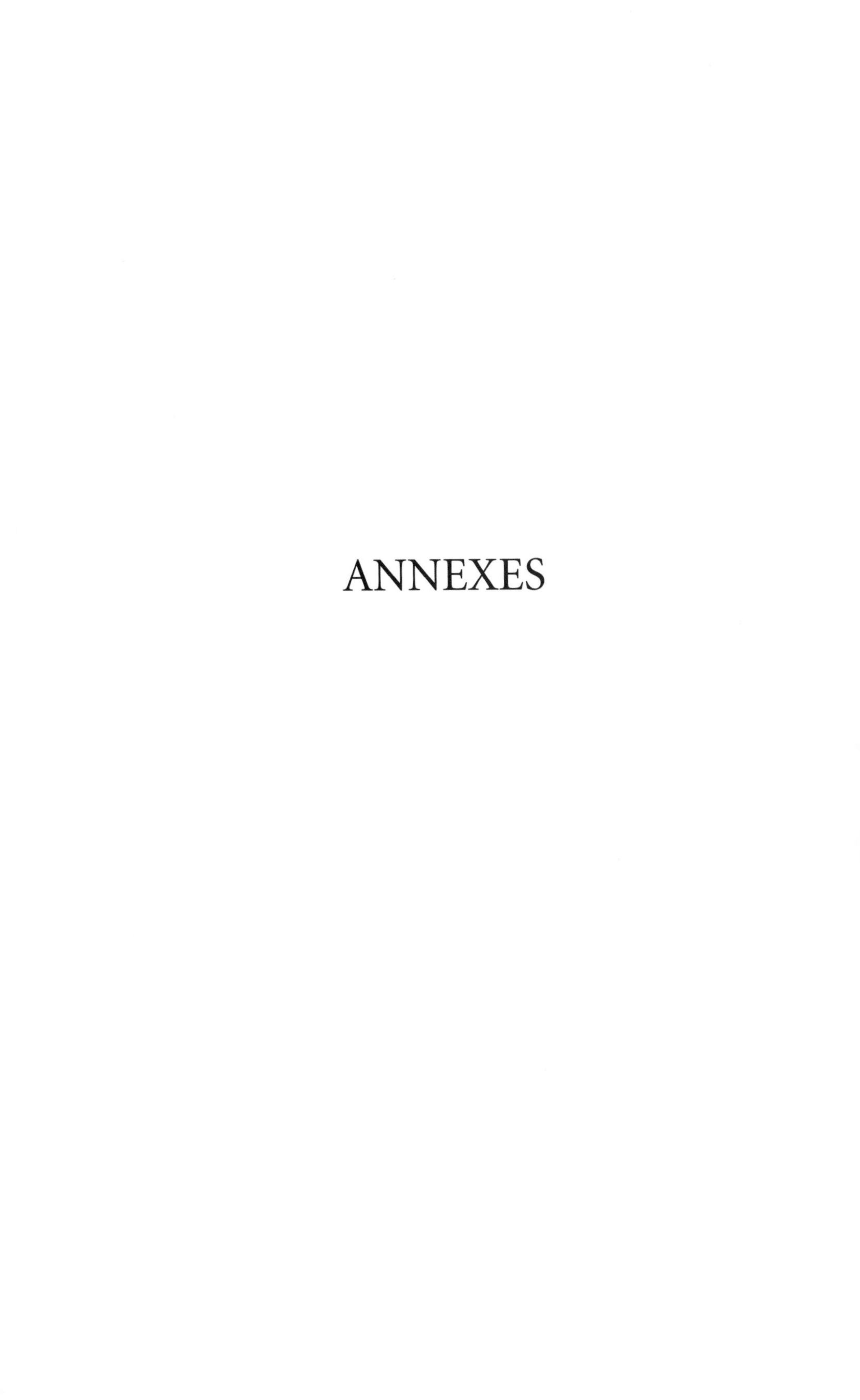

ANNEXES

Annexe A : *Les bijoux*, de Charles Baudelaire

La très chère était nue, et connaissant mon cœur,
Elle n'avait gardé que ses bijoux sonores,
Dont le riche attirail lui donnait l'air vainqueur
Qu'ont dans leurs jours heureux les esclaves des Mores (1).

Quand il jette en dansant son bruit vif et moqueur,
Ce monde rayonnant de métal et de pierre
Me ravit en extase, et j'aime à la fureur
Les choses où le son se mêle à la lumière.

Elle était donc couchée et se laissait aimer,
Et du haut du divan elle souriait d'aise
À mon amour profond et doux comme la mer,
Qui vers elle montait comme vers sa falaise.

Les yeux fixés sur moi, comme un tigre dompté,
D'un air vague et rêveur elle essayait des poses,
Et la candeur unie à la lubricité
Donnait un charme neuf à ses métamorphoses ;

Et son bras et sa jambe, et sa cuisse et ses reins,
Polis comme de l'huile, onduleux comme un cygne,
Passaient devant mes yeux clairvoyants et sereins ;
Et son ventre et ses seins, ces grappes de ma vigne,

S'avançaient, plus câlins que les Anges du mal,
Pour troubler le repos où mon âme était mise,
Et pour la déranger du rocher de cristal
Où, calme et solitaire, elle s'était assise.

Je croyais voir unis par un nouveau dessin
Les hanches de l'Antiope (2) au buste d'un imberbe,
Tant sa taille faisait ressortir son bassin.
Sur ce teint fauve et brun le fard était superbe !

– Et la lampe s'étant résignée à mourir,
Comme le foyer seul illuminait la chambre,
Chaque fois qu'il poussait un flamboyant soupir,
Il inondait de sang cette peau couleur d'ambre !

(1) Mores : Arabes.

(2) Antiope : dans la mythologie grecque, fille du roi de Thèbes et reine des Amazones.

Annexe B : Sujet de rédaction choisi par une élève de sixième année, ÉUF, mai 2005

Est-il juste de dire que le mariage est associé au bonheur dans les deux textes proposés ?

Textes : Un extrait de la nouvelle *Une famille* de Guy de Maupassant et un extrait de la pièce *Une maison... un jour...* de Françoise Loranger.

Annexe C : Extrait de *Une famille*, de Guy de Maupassant

J'allais revoir mon ami Simon Radevin que je n'avais point aperçu depuis quinze ans.

Autrefois, c'était mon meilleur ami, l'ami de ma pensée, celui avec qui on passe les longues soirées tranquilles et gaies, celui à qui on dit les choses intimes du cœur, pour qui on trouve, en causant doucement, des idées rares, fines, ingénieuses, délicates, nées de la sympathie même qui excite l'esprit et le met à l'aise.

Pendant bien des années nous ne nous étions guère quittés. Nous avions vécu, voyagé, songé, rêvé ensemble, aimé les mêmes choses d'un même amour, admiré les mêmes livres, compris les mêmes œuvres, frémi des mêmes sensations, et si souvent ri des mêmes êtres que nous nous comprenions complètement, rien qu'en échangeant un coup d'œil.

Puis il s'était marié. Il avait épousé tout à coup une fillette de province venue à Paris pour chercher un fiancé. Comment cette petite blondasse, maigre, aux mains niaises, aux yeux clairs et vides, à la voix fraîche et bête, pareille à cent mille poupées à marier, avait-elle cueilli ce garçon intelligent et fin ? Peut-on comprendre ces choses-là ? Il avait sans doute espéré le bonheur, lui, le bonheur simple, doux et long entre les bras d'une femme bonne, tendre et fidèle ; et il avait entrevu tout cela, dans le regard transparent de cette gamine aux cheveux pâles.

Il n'avait pas songé que l'homme actif, vivant et vibrant, se fatigue de tout dès qu'il a saisi la stupide réalité, à moins qu'il ne s'abrutisse au point de ne plus rien comprendre.

Comment allais-je le retrouver ? Toujours vif, spirituel, rieur et enthousiaste, ou bien endormi par la vie provinciale ? Un homme peut changer en quinze ans !

Le train s'arrêta dans une petite gare. Comme je descendais de wagon, un gros, très gros homme, aux joues rouges, au ventre rebondi, s'élança vers moi, les bras ouverts, en criant : « Georges. » Je l'embrassai, mais je ne l'avais pas reconnu. Puis je murmurai stupéfait : « Cristi, tu n'as pas maigri. » Il répondit en riant : « Que veux-tu ? La bonne vie ! la bonne table ! les bonnes nuits ! Manger et dormir, voilà mon existence ! »

Je le contemplai, cherchant dans cette large figure les traits aimés. L'œil seul n'avait point changé; mais je ne retrouvais plus le regard et je me disais : « S'il est vrai que le regard est le reflet de la pensée, la pensée de cette tête-là n'est plus celle d'autrefois, celle que je connaissais si bien. »

L'œil brillait pourtant, plein de joie et d'amitié; mais il n'avait plus cette clarté intelligente qui exprime, autant que la parole, la valeur d'un esprit.

Tout à coup, Simon me dit :

« Tiens, voici mes deux aînés. »

Une fillette de quatorze ans, presque femme, et un garçon de treize ans, vêtu en collégien, s'avancèrent d'un air timide et gauche.

Je murmurai : « C'est à toi? »

Il répondit en riant : « Mais oui.

– Combien en as-tu donc?

– Cinq. Encore trois restés à la maison! »

Il avait répondu cela d'un air fier, content, presque triomphant; et moi je me sentais saisi d'une pitié profonde, mêlée d'une vague de mépris, pour ce reproducteur orgueilleux et naïf qui passait ses nuits à faire des enfants entre deux sommes, dans sa maison de province, comme un lapin dans une cage.

Je montai dans une voiture qu'il conduisait lui-même et nous voici partis à travers la ville, triste ville, somnolente et terne où rien ne remuait par les rues, sauf quelques chiens et deux ou trois bonnes. De temps en temps, un boutiquier, sur sa porte, ôtait son chapeau; Simon rendait le salut et nommait l'homme pour me prouver sans doute qu'il connaissait tous les habitants par leur nom. La pensée me vint qu'il songeait à la députation, ce rêve de tous les enterrés de province.

On eut vite traversé la cité, et la voiture entra dans un jardin qui avait des prétentions de parc, puis s'arrêta devant une maison à tourelles qui cherchait à passer pour château.

« Voilà mon trou, disait Simon, pour obtenir un compliment. »

Je répondis :

« C'est délicieux. »

Sur le perron, une dame apparut, parée pour la visite, coiffée pour la visite, avec des phrases prêtes pour la visite. Ce n'était plus la fillette bonde et fade que j'avais vue à l'église quinze ans plus tôt, mais une grosse dame à falbalas et à frisons, une de ces dames sans âge, sans caractère, sans élégance, sans esprit, sans rien de ce qui constitue une femme. C'était une mère, enfin, une grosse mère banale, la pondeuse, la poulinière humaine, la machine de chair qui procrée sans autre préoccupation dans l'âme que ses enfants et son livre de cuisine.

Elle me souhaita la bienvenue et j'entrai dans le vestibule où trois mioches alignés par rang de taille semblaient placés là pour une revue des pompiers devant un maire.

Je dis :

« Ah ! ah ! voici les autres ? »

Simon, radieux, les nomma : « Jean, Sophie et Gontran. »

Annexe D : Extrait de *Une maison... un jour...*, de Françoise Loranger

Présentation
Nathalie est la fille de Dominique et la nièce de Vincent.

NATHALIE
Ah ! Bonjour, mon oncle.

VINCENT
Drôle de tenue pour un déménagement.
(Nathalie, qui ne l'écoute pas, est allée se jeter dans les bras de sa mère.)

NATHALIE
Ah ! Je suis heureuse, maman, heureuse ! Il fait beau, je suis jeune, c'est le printemps, et je suis fiancée ! Je suis la plus belle fiancée du monde !

VINCENT
Tu as surtout l'air de quelqu'un qui sort de son lit !
(Il consulte sa montre, l'air désapprobateur. Dominique, qui s'est d'abord mise à rire, regarde maintenant Nathalie avec perplexité. Vincent se lève et va prendre son manteau.)

NATHALIE
Comment, vous partez ? Non, non, mon oncle ! *(Elle va lui prendre le bras.)* Pas avant de m'avoir dit ce que vous pensez du mariage.

VINCENT
(S'épanouissant.) Le mariage ?... *(À Dominique.)* Elle me consulte !

DOMINIQUE
Je te préviens qu'elle pose cette question à tout le monde et que c'est un piège. Elle te jugera cruellement sur ta réponse.

NATHALIE
(Protestant.) Maman !...
(Dominique rit.)

VINCENT
(Prudent. Ton pontifiant.) Eh bien ! Le mariage est une institution indispensable dans une société organisée. C'est...

NATHALIE
(L'interrompant.) Foin des lieux communs, s'il vous plaît ! La vérité... La vôtre, du moins !

VINCENT
(Piqué.) Eh bien ! si tu veux toute ma pensée, ma petite fille, je te dirai que le jour où ce sera complètement accepté dans nos mœurs que les filles et les garçons couchent ensemble comme ça se fait de plus en plus ouvertement, il n'en sera même plus question du mariage, voilà ce que j'en pense. (Il rit.)

NATHALIE
Et pourquoi donc, je vous prie ?

VINCENT
Peuh ! Une fois ses désirs apaisés, veux-tu me dire pourquoi un homme renoncerait à sa liberté ?

DOMINIQUE
(Moqueuse.) Pour le plaisir d'épouser une Anglaise, peut-être ? (Elle rit.) Rappelle-toi, Vincent, quand tu t'es marié !... « Le moins que puisse faire un Canadien français qui veut réussir dans la finance, disais-tu, c'est de commencer par épouser une Anglaise ! »

VINCENT
(Mécontent.) Rappelle-toi toi-même, à cette époque-là, c'était vrai ! Du moins, on le croyait.

NATHALIE
Ainsi, d'après vous les principaux mobiles qui poussent un homme au mariage sont la sexualité et l'intérêt.

VINCENT
Ma foi, oui, s'il faut appeler les choses par leur nom.

NATHALIE
Dernière question : Si c'était à refaire?...

VINCENT
(Féroce.) Jamais! Célibataire!... Et jusqu'à la fin de mes jours!

DOMINIQUE
(À Nathalie.) Il n'a pas eu d'enfants...

VINCENT
Où sont les pères satisfaits de leur progéniture? Non, non, le célibat cent fois! La liberté!

DOMINIQUE
Et la solitude? Y as-tu pensé?

VINCENT
Elle est encore plus cruelle dans le mariage, la solitude! (À Nathalie.) Car elle existe aussi dans la vie conjugale, autant te prévenir tout de suite.

NATHALIE
Donc pour conclure : mécontentement total?

VINCENT
(Désarmé.) Total... Hé oui! total.
(Nathalie s'incline dans un salut plein de grâce.)

NATHALIE
Merci, mon cher oncle. Mais permettez-moi de vous dire, le moins respectueusement du monde, que si l'on considère la

vulgarité des mobiles qui ont présidé à votre union, il n'est pas étonnant que vous ayez abouti à un échec aussi complet.
(Elle lui tourne le dos et va s'asseoir auprès de Dominique qui n'a pas pu s'empêcher de rire.)

VINCENT
(Stupéfait et indigné.) (À Dominique.) Tu l'entends ? La vulgarité… Échec complet !… (Passant à l'accablement.) Je n'avais jamais fait un tel rapprochement. (Il se laisse choir sur une chaise, brusquement ému.)

Annexe E : Analyse d'une élève de sixième année

Le mariage n'est pas nécessaire. On peut s'aimer sans se marier. Le mariage n'est pas toujours juste non plus. On peut se marier sans s'aimer. Dans ce cas, le mariage est une conformité, une obligation. Un vrai, un beau mariage est une preuve d'amour. Or, il y a tant de moyens de prouver notre amour. Est-il juste de dire que le mariage rend heureux ? À mon avis, non. Pas toujours. Françoise Loranger est, je crois, d'accord avec moi. Dans le texte Une famille de Guy de Maupassant, par contre, le mariage a rendu Simon heureux. Cependant, il s'est marié par amour. De plus, il est fier de ses enfants, de sa maison, de son village. Contrairement à lui, Vincent de Une maison… un jour… voit le mariage comme une concession. Il a épousé sa femme sans l'aimer. Sans amour, difficile de trouver le bonheur ! De plus, Vincent est plein de regrets par rapport à son mariage.

Revenons à Une famille de Guy de Maupassant. Ce texte peut sembler sous-entendre que le mariage n'apporte pas le bonheur. Par contre, ce n'est pas le message que j'en ai retenu. Si la vision du mariage peut paraître négative, c'est que le narrateur en parle en mal car il est, je crois, jaloux de la situation de Simon. Il y a de quoi. Simon aime sa femme avec autant de passion que le jour où ils se sont rencontrés. C'est la principale raison du bonheur de Simon. De plus, il est fier de ses enfants, apparement : « Cinq, encore trois restés à la maison ! » « Il avait dit cela d'un air fier, content, presque triomphant. » (lignes 39 et 40). Cette citation m'envoie l'image de père fier, aimant, encourageant. Dans l'ensemble, je perçois Simon comme un gros monsieur accueillant, chaleureux, plein de bonté, qui croque dans la vie à pleines dents. Ainsi, il n'a pas le sentiment de ne plus être libre et ne semble pas regretter les changements que son mariage a apportés à sa vie. Certes, il ne parcourt plus le monde à la recherche d'aventures. Certes, il n'est plus nomade et s'est établi pour de bon dans un endroit paisible, vu d'un mauvais œil par le narrateur : « triste ville, somnolente et terne où rien ne remuait par les rues » (ligne 45). Je crois que le narrateur ne sait pas apprécier le charme de la tranquille petite ville car il est inconsciemment jaloux de son ami (comme je vous l'ai dit plus tôt). Je crois aussi qu'il s'ennuie de Simon, qu'il ne voit pas comment une vie calme et sans aventure peut lui plaire. D'après le narrateur, une telle vie ne peut être appréciée, à moins qu'on « ne s'abrutisse au point de ne plus rien comprendre. » (ligne 18). Ce que le narrateur ne semble pas pouvoir concevoir, c'est que s'occuper d'une famille à cinq enfants peut être une aventure aussi passionnante et difficile que n'importe quel voyage. Cette aventure rend Simon heureux, de toute évidence, et c'est le plus important : « L'œil brillait pourtant, plein de joie » (ligne 30).

Simon est heureux dans son mariage. Ce n'est malheureusement pas le cas de Vincent dans la pièce Une maison… un jour… À mon avis, ce n'est pas surprenant : il n'a pas choisi sa femme par amour. À l'inverse de Simon, il ne l'a pas préférée en tant que personne, mais en tant qu'Anglaise. En plus, Vincent voulait épouser une Anglaise parce que : « Le moins que puisse faire un Canadien français qui veut réussir dans la finance, disais-tu, c'est de commencer par épouser une Anglaise ! » (lignes 23 et 24). Il a marié sa femme par intérêt ! Vincent voit le mariage comme une obligation, une concession, un partage au désavantage de l'homme, une perte de liberté.

« Une fois ses désirs apaisés, veux-tu me dire pourquoi un homme renoncerait à sa liberté ? » (lignes 20 et 21). Vincent ne semble pas pouvoir concevoir qu'un homme soit heureux avec sa femme pour d'autres raisons que le sexe. D'ailleurs, on dirait qu'il perçoit les femmes comme des objets avec lesquels on ne peut discuter et qui sont seulement « utiles », pas intéressants. C'est parce qu'il vit avec sa femme par obligation que Vincent se sent seul. De toute évidence, ça affecte son humeur, on le voit dès le début de l'extrait : « Drôle de tenue pour un déménagement » (ligne 2) « Tu as surtout l'air de quelqu'un qui sort du lit » (ligne 5). Immédiatement, j'ai imaginé Vincent comme un vieil homme bouru. Cette perception s'est confirmée tout le long de la pièce. Apparement, Vincent aurait préféré ne pas avoir de femme. Avec ces regrets, c'est compréhensible qu'il associé au mariage le malheur plutôt que le bonheur.

Le mariage est-il associé au bonheur dans les deux textes proposés? Évidemment, dans le cas de Une maison... un jour... la réponse est non. Le mariage de Vincent est « un échec total » comme l'a si bien dit Nathalie. Pour ce qui est de Une famille..., je pense que Simon est heureux depuis son mariage et que Guy de Maupassant transmet un message positif sur la vie des époux. Ma propre conclusion, c'est qu'un mariage d'amour rend heureux. Tandis que si l'on s'épouse pour toute autre raison, ce sera difficile de trouver le bonheur. Autre question : Nathalie sera-t-elle heureuse avec son mari? Je crois que oui. Nathalie semble avoir de très belles valeurs et son mariage prochain l'enthousiasme beaucoup, contrairement à son oncle Vincent. Finalement, revenons à une interrogation que je me suis faite au début de ce texte : est-ce nécessaire de se marier pour trouver le bonheur dans une histoire d'amour? Non, je ne crois pas. Et après tout, « le bonheur, c'est pas grand-chose, c'est le malheur qui se repose. » (Léo Ferré)

Remerciements

Je remercie ma famille pour nos longues discussions qui m'ont permis de préciser ma pensée.

Luc Germain

Merci simplement à tous, Jacinthe, Francine, Mireille, Anouk, Michaël, Kim, Hélène, Camila, Jean-Louis, Rita, Geneviève, Marie-Eve, Jimmy ainsi qu'à ma fille Gabrielle dont la patience est une des belles qualités.

Luc Papineau

Merci à mes premiers lecteurs, Olivia Pelka, André Lamarre, Hugues Brouillet, Pierre Lejeune, Yvon Rivard, Marie-Rose Bascaron et Louise Choquette; ainsi qu'à Chantale Gendron, Michel Forest et Chloé Houle-Johnson pour leur précieuse collaboration.

Benoit Séguin

Il est possible de joindre les auteurs de ces textes à l'adresse suivante: le_grand_mensonge@hotmail.com

Table des matières

Introduction **11**

Le primaire, par Luc Germain **15**

Le secondaire, par Luc Papineau **55**

Le collégial, par Benoit Séguin **157**

Conclusion **195**

Annexes **199**

MEMBRE DU GROUPE SCABRINI

Québec, Canada
2006